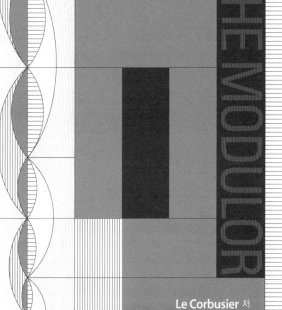

THE MODULOR

모듈러 1

Le Corbusier 저
손세욱, 김경완 역

씨
아이
알

MODULOR 1

by Le Corbusier

모듈러 1

모듈러 재판에 즈음하여

『모듈러』의 초판은 매우 빨리 팔렸다. 전 세계를 통해 모듈러는 호평을 받았다. 모든 지역의 건축가들은 신비가 아니라 형태의 창조에 맡겨진 도구로, 또 아인슈타인 교수가 지적하듯이 '나쁘고 어려운 것을 좋고 쉽게' 만들기 위한 단순한 목적으로 인식했다. 모듈러는 스케일이다. 음악가들도 스케일을 갖고 진부하거나 혹은 아름다운 음악을 만든다.

모듈러의 초판이 모두 팔리자 의미 있는 사건이 발생했다. 밀라노에서 열린 9회 트리엔날레에서 이탈리아 국립도서관과 파리국립도서관의 도움으로 도서전시회가 조직되었다. 목적은 예술적으로 기술적으로 모든 조형적 작품의 뿌리에 있는 학자들을 찾아서 여러 시대 여러 나라를 통하여 수행되었던 연구들을 비교하는 것이었다. 그리하여 빌라르 드 온느쿠르Villars de Honnecourt(13세기), 프란시스코 디 지오르지오Francesco di Giorgio, 피에로 델라 프란체스카Piero della Francesca, 루카 파시올리Luca Pacioli, 뒤러Dürer, 알베르티Alberti, 들로음Delorme, 캄파노Campano, 바바라Barbara, 카즌Cousin, 세를리오Serlio, 팔라디오Palladio, 레오나르도Leonardo, 갈릴레이Galilei, 데카르트Descartes 등의 원판들을 함께 볼 수 있었다. 또한 슈파이저Speiser, 케이서Kayser, 위트코워Wittkower, 룬드Lund, 기카Ghyka 등 대단한 최근 작품도 있었다.

트리엔날레의 회장 롬바르도Ivan Matteo Lombardo의 요청으로 이 전시회는 모듈러의 그래픽 전시로 끝났다. 모듈러에 대해 그는 "현대 건축에서 비례문제를 해결하는 중심축pivot이다."라고 적었다.

1951년 9월 26일부터 29일까지 열린 트리엔날레에서 첫째 국제회의는 '신적인 비례Divine

Proportion'라는 제목으로 구성되었는데, 학자, 수학자, 미학자, 건축가, 예술가들이 모든 대륙에서 참가했다. 국제회의가 폐막하기 전에, 이 일을 계속할 영구적 연구 그룹을 설립하고, 결실을 맺도록 결정되었다. 이 책의 저자는 이 그룹의 회장으로 선출되었다. 동시에 비례에 관한 2회 국제회의를 뉴욕에서 개최하려는 의견을 뉴욕 현대미술관MoMA에서 해외로 타전했다.

모듈러의 초판 출판과 이러한 최근 사건 사이에 독자들에 의해 많은 참여가 있었다. 많은 논평, 제안과 반대제안, 비평과 정보의 항목들은 8장의 "그 다음은 이용자가 말하게 하자."라고 하는 우리의 초판 결론에 응답하여 세계 여러 곳에서 받았다. 우리는 출판의 참여를 매우 중요하게 믿고 있으며, 그리고 더욱이 우리 스스로는 1948년 이후 유럽과 미국에서 도시계획, 건축, 조형예술의 대규모 작품에 모듈러를 적용했다. 다른 기술자들 또한 모듈러를 적용했다.

그러고 나서 우리는 『모듈러 2』라고 제목을 붙인 새로운 책을 출판하기 위해 준비하면서 출판사와 계약하기로 결정했다. 척도의 관계를 통해 성취된 조화의 멋있는 인간의 문제라는 문은 헛되이 열리지 않았다. 이런 종류의 생각은 전문가들의 소지품으로부터 사라졌고, 또는 비밀이 되기도 했고, 신비주의 속으로 감추어졌다. 우리는 『모듈러 2』가 독자들의 도움으로 우리 시대의 문제들을 긴밀히 연계되도록 이 주제를 계속 발전되리라 희망한다.

1951년 10월 8일, 파리
르 코르뷔지에

옮긴이 말

『모듈러』1권과 2권은 근대 건축계의 귀재 르 코르뷔지에Le Corbusier(1887-1965)의 대표적 저서 중의 하나이다. 그의 본명은 샤를 에두아르 잔느레Charles Edouard Jeanneret다. 1887년 스위스의 작은 도시 라쇼드퐁La-Choux-de-Fonds에서 태어나, 그곳에서 공예학교를 나왔다. 1965년에 78세로 생을 마감할 때까지 330여 개의 크고 작은 건축 도시 작품을 계획했고, 그중 100여 개 작품이 실현되었다. 실현된 대표작으로는 사보아주택, 마르세유의 위니테 다비타시옹, 롱샹 성당, 라투레트 수도원 등이 있다. 50여 권의 저서도 남겼으며, 대표작은『건축을 향하여』,『도시계획』,『오늘날의 장식예술』, 『빛나는 도시』,『인간의 집』,『모듈러』등이다. 미술과 조각 작품도 많이 남겼으며, 〈타임〉지가 선정한 20세기를 빛낸 100인 중에 유일한 건축가이다.

초기 르 코르뷔지에는 큐비스트 화가의 한 사람으로서 많은 정열을 갖고 활약하였는데, 1919년 이후 그의 구성에는 그림의 수법으로 직각나선이나, 황금비율, 대수표에 따른 나선 구조, 5각형 등 기준선이 사용된 비례 체계를 스스로도 확실히 표명하고 있었다. 그 후 그의 관심은 회화보다도 건축에 쏠리며, 특히 건축이론의 영역에서도 풍부한 자질을 나타내게 되었으며, 잡지《에스프리 누보》를 주재하고, 예술과 과학에서 창조적인 인간의 새로운 사고를 소개하였다. 르 코르뷔지에는 그의 사상적 숙성에 따라서 공간개념에 대한 의의를 깊이하면서도 그의 두뇌는 모든 공작물의 형태를 규정하고 있는 척도(모듈)의 문제에 집중하여 적극적인 체계화를 지향하게 되었다. 그리고 제2차 세계 대전 중에 황금비를 기본으로 한 하나의 실용적이고도 흥미 있는 비례 체계를 만들었다. 그것이 여기서 말하는 모듈러Le Modulor(황금척)이다.

르 코르뷔지에 자신의 발언을 빌려서 말하면, 모듈러는 '인체의 치수와 수학과의 결합에서 만들어진 것을 계량하는 도구'이며, 인체뿐만이 아니라 '광장에서 책꽂이에 이르기까지 여하한 디자인에도 적용할 수 있는 척도'라고 설명하고 있다.

모듈러는 발명된 이래, 수많은 건축가가 평면이나 입면을 완성하기 위해 일반적으로 사용하는 도구가 되었다. 그러나 그것이 건축 자체의 질을 보장하지 못할 것이다. 다른 비례 체계 이상은 아닐 수도 있다. 즉, 모듈러를 사용하여 양호한 건축을 만드는 것은 모듈러 없이 양호한 건축을 만드는 것과 마찬가지로 어려운 일이다. 설사 더 어렵다고까지는 하지 않더라도 모듈러가 건축가에게 근본적 결정을 내리는 것을 면제해주는 것은 아닐 것이다. 음악에서 음계가 있어도 작곡가는 화음의 전개 작성을 처음부터 면제받지 못하고 있는 것과 같다고 할 수 있다. 모듈러가 작업을 단순화하고 경감화하는 것은 건축가가 길을 제대로 택한 뒤의 일이다. 그때야 비로소 치수가 차례로 도출되는 것이다. 모듈러는 공식적인 비판을 받으면서, 발전하고, 세계 사람들로부터 지지를 받기까지 이르렀다. 그리고 이 책을 읽으면, 모듈러를 채용하지 않는 것이 손해이고, 보급시켜야 한다고 생각할수록 그 유효성을 인정하지 않을 수 없게 된다.

1권에서도 자세하게 기술되어 있듯이, 모듈러는 우리가 물건의 형태를 결정할 때, 아름다운 치수를 주는 도구를 찾는 것에서 비롯되었다. 그리고 많은 옆길을 보면서 발견한 것이었는데, 의외로 많은 다른 분야에까지 관련되었음을 2권에서 가르쳐주고 있다. 모듈러라는 도구는 유효하게 사용할 수 있는 범위가 조형예술은 물론이고, 음악에도 미치고, 또 수학을 통해 여러 과학 분야에도 스며들고, 기술을 통해 산업계에도 파급되고 있다. 1권과 함께 속편인 2권을 읽을 때, 마치 탐정소설의 해결편을 읽는 것처럼 매우 흥미롭고, 여러 측면의 건축 · 도시계획에 적용되고 있어서 많은 새로운 지식들을 습득하게 한다. 더불어 이 책의 매력은 여러 페이지마다 삽입되어 있는 르 코르뷔지에의 스케치와 작품사진으로 모듈러라는 비례 체계를 체계적으로 설명하면서도 그의 작품세계를 알 수 있게 한다.

르 코르뷔지에 『인간의 집』 이후 한동안 하지 않았던 번역 작업을 출판사의 요청으로 다시 하였으나, 모듈러 1권과 2권의 많은 원고량, 까다로운 문장, 알기 힘든 인물명과 장소명, 책의 여러 곳에서 나오는 구어체, 함축적인 문학적 표현 등으로 역사서나 이론서 같은 연구 저작물에서 못 느끼던 번역의 어려움을 안겨주었다. 그러나 여러 어려움을 무릅쓰고 번역하기로 마음먹은 것은, 연구할 가치가 있는 건축가의 사고가 생생하게 살아 있는 문헌을 후학들이 직접 접하는 일이 아주 소중하다는 생각 때문이었다. 이러한 의미에서 고전의 번역을 기획한 도서출판 씨아이알의 김성배 사장님과 출판부 여러분, 특별히 교정 작업에 애를 많이 써준 정은희 씨에게 감사드린다.

2016년 3월

목 차

1. 「건축」이라고 하는 말은 여기서 다음 의미를 포함한다. :
   가옥, 궁전 내지 사찰, 선박, 자동차, 차량, 비행기 등을 만드는 방법
   가정 또는 생산 또는 교환에 관한 설비를 하는 것
   신문, 잡지 또는 서적의 인쇄 방법
   '기계학(Mechanics)'이라는 말에는 직접 인간의 손에 의해 만들어진 기기와 그것을 둘러싸는 공간들을 적절히 짜 맞추는 것이다. 다시 말해서 하나의 기기를 구성하는 다양한 부분 치수들을 늘리고, 압연하고, 녹이는 과정에서 임의적이거나 대략적인 것이 아니라 어떤 동기를 가진 선택에 따라 이루어진다는 사실을 함축하고 있다.

2. 인간에게 인생은 백과사전적인 것이 아니라 개인적인 것이다. 백과사전적이라고 말하는 것은 많은 복잡한 사실이나 사상에 감동을 나타내지 않고, 그것들을 인식하여 분류하는 것이다. 그런데 인생에 대해서 태연하게 있을 수 없는 사람들도 있다. 그들은 오히려 스스로 주체자인 것이다. 본 서는, 정확한 목표를 가지고, 한 사람의 인생을 관통하는 실처럼 단계적으로 연구 과정을 더듬어 가고 있다. 만일 이 연구가 분명한 성과를 거두고 있다면, 그것은 개성(환경, 생활양식, 열정, 일련의 사건)이 삶의 어수선함을 꿰뚫고 이어져 있는 하나의 연속적인 사슬에 전적으로 어울렸기 때문이다. 여기서 말하는 삶의 어수선함이란 사건, 열정, 갈등, 경쟁(한편의 몰락과 다른 편의 소생 특수한 조건들), 혁명 등으로까지 이어지는 것이다.
   백과사전이 꽂힌 책꽂이의 반대편에 지혜를 담은 책들이 단정히 배열되어 있다.

1부

연구의 분위기, 환경, 상황 그리고 전개

1장 • 서문

과거의

결정, 풍습, 습관. 이 모든 것은 마음의 자유로운 활동을 교란하고, 제한하고, 변덕스럽게 간섭하는 불가항력의 사건들을 통하여 우리 곁에 있다. 우리는 이러한 종류의 방해들에 전혀 신경 쓰지 않고 있다. 그러나 곤란한 문제의 뿌리를 조금만 조정해도, 그것이 모든 것을 바꾸어 마음의 창을 열고 자유롭게 상상하도록 해줄 수 있다. 풍습은 소박하면서도 전능한 습관으로 바뀐다. 그리고 모든 에너지를 소진하는 삶의 갈등 속에서 어떤 단순한 결정 하나가 장애물을 깨끗이 쓸어내고 새로운 삶의 길을 열어줄 수 있다는 사실을 깨닫고 있는 사람은 아무도 없다. 그래, 단순히 열심히 해야 한다.

소리는 연속적인 현상, 즉 낮은 곳에서 높은 곳으로 끊이지 않고 이동하는 현상이다. 음성은 소리를 내고 조절할 수 있는데, 악기 중 바이올린이나 트럼펫 등은 가능하다. 하지만 다른 악기들은 불가능하다. 왜냐하면 그 악기들은 사람이 만든 인공적 간격의 질서에 기반을 두고 있기 때문이다. 피아노나 플루트 따위가 그렇다.

수천 년 동안 사람들은 소리를 이용해 노래하고 연주하고 춤출 수 있었다. 그 최초의 음악은 단지 목소리에 의해서 전해졌을 뿐이었다.

그러나 어느 날 (기원전 6세기에) 어떤 사람이 이것을 영구히 전해지도록 해야겠다고 생각했다. 입으로부터 귀로 전달하는 음악과는 달리, 쓸 수도 있는 것을……. 그러나 이를 행할 방법도 도구도 없었다. 소리는 어떤 결정된 지점에서 기록되어야 하는데, 그렇게 되면 완벽한 연속성이 그 과정을 거치면서 파괴된다. 따라서 파악 가능한 요소들로 소리를 묘사하고 모종의 규칙에 맞추어 계속적인 전체를 분산하여 그로부터 일련의 진행을 만드는 작업이 필요했다. 그러면 이 진행들은 소리를 가늠하는 스케일(인위적인 스케일)이 되는 것이었다.

어떻게 계속되는 소리의 현상을 구분할까? 어떻게 이 소리를 모두가 받아들일 수 있는 규칙에 따라 세분할까? 게다가 효율적이고, 유연하고, 융통성이 있고, 미묘한 차이를 풍부하게 허용하여야 하고, 간단하고 사용하기 쉽고 이해하기 쉬운 것으로 하려면 어떻게 해야 하는지?

피타고라스는 확실함과 다양함을 확보할 수 있는 2개의 요소로 문제를 풀었다. 즉, 한편으로는 인간의 귀, 즉 인간의 청각이며(늑대나 사자나 개에는 없는), 다른 한편으로는 수, 모든 형태의 수학이다. 수학은 우주의 분신이다.

이렇게 해서 음악의 최초 부호가 만들어지고 곡들이 만들어져, 시간과 공간을 넘어 전할 수 있게 되었던 것이다. 이것이 도리아식, 이오니아식, 그리고 후에 그레고리안 음악의 기초가 되어, 모든 나라들, 모든 언어를 넘어, 기독교 의식에 이용됐다. 르네상스 시대에 별로 성과가 나지 않았던 몇 가지 시도를 제외하면 이 방식은 17세기까지 계승된 것이다. 이럴 즈음 바하 일가, 특히 그중에서도 요한 세바스찬이 새로운 음악의 부호를 만들어낸 것이다. '평균율tempered scale'이라고 하는 새로운 도구가 개량되고 나서 작곡에 위대한 발전을 가져왔던 것이다. 이 도구는 3세기 동안 이용되어 왔으며, 이것으로 마음의 미묘한 점들, 음악적 감상·사색은 요한 세바스찬의 것, 모차르트, 베토벤, 드비쉬, 스트라빈스키, 사티의 것, 또한 라벨의 것도, 최근의 무조음악파들의 것도 표현하기에 충분하다는 것이 입증되어 왔다.

기계 문명 시대의 번영이 그 이상으로 예민한 도구를 요구하고, 지금까지 방치되었거나 들어본 적이 없는 소리, 몰랐던 소리, 좋아하지 않았던 소리를 표현할 수 있는 도구를 요구할 것이다. 그런데도 지금까지 백인의 문명은 이 수천 년 동안 음을 다루기 위해서 단 두 개의 도구를 계승해온 것에 지나지 않는다. 소리라고 하는 것은 계속적인 실체이므로 먼저 분할되고 측정되지 않으면 문자를 통하여 전달될 수 없다.

이것이 바로 내 작업에 담긴 주제이다. 시각적 영역, '길이의 문제'에서 우리의 문명이 아직까지 음악이 도달한 단계에까지 이르지 못했다는 사실을 우리는 과연 얼마나 알고 있는가? 조직되어 길이, 넓이, 부피로 분리된 것 가운데서 음악의 작업 도구(음악과 사상의 표현을 위한)가 갖는 측정 방법의 장점을 누리고 있는 것은 아직 하나도 없다.

이러한 도구가 없기 때문에 인간의 정신은 더욱 빈곤한 것이 아닌가? 그렇지는 않은 것

같다. 파르테논도, 인도의 사원도, 성당도, 그리고 최근에 인류가 획득한 정교한 업적, 또한 지난 백 년 동안에 거둔 믿을 수 없을 정도의 공적들은 시간의 여정을 따라서 움직여온 인간 진보를 돋보이게 하기 때문이다.

만약 악보와 유사한 선형 또는 시각을 위한 척도가 도구로서 주어지고 있었다면, 건축 과정에 도움이 될 수 있지 않겠는가? 그것이 바로 내가 여기서 이야기하려고 하는 문제이다. 먼저 그러한 목표를 찾고 성취한 모험가에 대해서 이야기하고, 그러한 발명의 본질을 기술한 다음, 현재의 배경 속에서 그것을 생각해보고 그것이 차지하고 있는 위치를 파악해 본다. 마지막으로 모든 문을 열어놓은 채로 나는 도움을 호소할 것이다. 대지는 모든 사람들에게 개방되어 있고, 문도 넓게 열려 있기 때문에 누구든지 나보다 더욱 확실하고 곧은 표적을 세울 능력을 가지고 있는 것이다. 나는 다음의 단순한 주장으로 결론을 내리려 한다. 즉, 인류에게 새로운 복지의 원천을 제공해주기 위한 작업도구가 나날이 완성되어 가고 있는 현대 우리의 기계화 사회에서는 시각적 측정 방법이 적절한 위치를 차지하게 된다. 그것은 이 새로운 도구의 첫 번째 효과가 실질적으로 양립이 불가능한 두 가지 체계, 즉 앵글로 색슨계의 피트–인치 체계와 기타 세계의 미터 체계가 존재하기 때문에 현재 서로 나뉘어져 있는 작업을 통합하고 조화를 이룸으로서 나타날 것이기 때문이다

* * * * *

우리의 과제를 시작하기에 앞서 한 가지 설명이 더 필요할 것 같다. 그것은 새로운 시각적 측정 방법의 필요성은 고속 통신 수단이 사람과 사람 사이 관계를 철저하게 바꿔버린 근년에 이르러 더욱 절실해졌다. 백 년 전, 최초의 증기기관은 일반에게 기계에 의한 속도라는 개념을 소개했는데, 그것은 관습과 용인된 관념, 모든 욕구 체계와 그 당시까지 가능했던 운동 속도에 적응된 실제 수단(즉, 행동의 리듬을 결정하고, 욕구를 판정하고, 수단을 지시하고 관습을 만들어내던 걸음)의 붕괴가 시작되는 서곡이었다.

내가 이 글을 쓸 무렵 현대의 항공은 세계를 바꾸고, 완벽한 혁명을 가져오고 있다.(우리

는 아직도 이 사실을 인식하려 하지 않고 있다.) 여기는 특별한 주제를 발전해 나갈 자리가 아니다. 결론으로 말하면 다음과 같다. 즉, 모든 것은 서로 의존적으로 되어가고 (사실 이미 되어 있지만) 있다는 것이다. 요구는 움직이고 공간을 정복한다. 이러한 요구들을 만족시키는 수단은 날로 늘어가고 있다. 생산품들은 제조되고 운송되어 세계 전역을 여행한다. 여기에서 문제가 생긴다. 이들 생산품을 만드는 데 사용되는 측정 방법이 지역적인 것(세계적인 것이 아닌)으로 남아 있을 수 있는가? 이 점이 확실히 문제다.

　　로마가 그 위대한 영토를 점령했을 때에, 로마는 하나의 말을 가지고 있고, 영토를 통치하기 위해서 이것을 이용했다.

　　교회가 태어나고, 기존의 세계를 통치하면서 여러 세기에 걸쳐 다른 나라들을, 해양을, 대륙을 지배하였을 때, 사상의 전달 수단으로 유일한 것은 라틴어였다. 유럽이 암흑 시대에 불과 피로 새로운 기반을 요구하는 동안 라틴어는 중앙의 사상을 전달하는 것이었다.

* * * * *

　　이제 한 가지 설명해야 할 것이 있다. 파르테논도, 인도의 사원도, 교회당도, 정확한 척도로 건축됐다. 그 체계는 본질적인 통일성을 선언하고 있다. 이집트나 칼디어Chaldean, 그리스 등지에서 높은 문명을 건설한 사람들은 물론, 모든 지역과 모든 시대의 원시인들은 한결같이 건설을 하고, 측정을 했다. 그들이 사용한 측정 도구는 무엇이었는가? 그것은 영구히 변할 리가 없는 도구, 게다가 귀한 도구였다. 인간 그 자체에 결합된 것이었으니까, 이 도구에는 팔꿈치cubit, 손가락digit, 엄지손가락thumb, 발foot, 보폭 등의 이름이 지어지고 있었다. 그들은 결국 인체 각부의 치수로부터 출발한 것이다. 꼭 지어야 할 작은 집, 가옥, 사원에 사용하는 척도로서 알맞았던 것이다.

　　그것만이 아니다. 그들은 한없고 풍부하고, 미묘함을 갖고 있었다. 왜냐하면 그들은 우아하고 굳건하며, 우리를 움직이는 조화의 원천인 신체로 수학의 부분을 구성했기 때문이다. 곧 아름다움(확실한 인간의 개념에 따라서 인간의 눈이 인정한 아름다움, 그 밖의 다른 기준은 존재할 수 없다.)의 구성 요소였던 것이다.

　팔꿈치와 보폭, 발, 엄지손가락은 선사 시대와 마찬가지로 지금도 인간의 측정 도구로 사용되고 있다.

　파르테논도, 인도의 사원도, 대성당도, 작은집이나 주택도, 그리스 혹은 아시아, 유럽 등 분명히 결정된 어느 지점에 쌓아 올려졌던 것이다. 그래서 측정 방법의 통일에 대한 필요성은 없었다. 바이킹Viking이 페니키아인Phoenician보다 큰 것처럼, 북유럽의 게르만족의 발과 엄지손가락이 페니키아인의 크기에 맞아야 될 필요는 없었던 것이다.

　……그러나 어느 날, 세속적인 생각이 이것을 대신해 세계를 지배했다. 프랑스 대혁명은 완전한 인간주의의 투쟁이었다. 전진을 위한 비약이, 초월이, (적어도 약속되어) 내일의 문이 열린 것이다. 과학과 수학은 새롭고 무한정한 길에 오르기 시작하였다.

　어느 날 십진법의 열쇠인 영(0)이 계산을 위해 창조되었을 때, 그것이 갖는 의미를 충분히 생각해본 적이 있는가? 십진법은 영(0) 없이 계산하는 것을 사실상 할 수 없다. 프랑스 대혁명은 피트-인치 체계와 그 귀찮고 느린 계산법을 벗어 던졌다. 피트-인치를 버리고 새로운 체계를 찾아내어야 했다. 국민의회파 학자들은 구체적인 척도로서 한 개의 상징적 실체인 미터, 지구 자오선의 100만분의 40을 선택했지만, 그것은 너무 인격과 감정이 없었기에 추상적인 부호였다.

　미터법은 혁신에 몰두한 사회에 의하여 채택됐다. 1세기 반 뒤에 공장 생산품이 돌아다니고 있는 오늘날의 세계는 2대 권역으로 분리되기에 이르렀다. 인체와 밀착되어 있으면서도 지극히 다루기 힘든 피트-인치 세계와 인간의 몸과는 무관하면서 0.5미터, 0.25미터, 0.1미터, 1센티미터, 1미리미터 등 여하한 길이도 가능한 미터 세계가 그것이다. 하지만 모든 길이는 인체의 규격과 무관하다. 1미터나 2미터짜리 사람이란 존재하지 않기 때문이다.

　인간을 위한 작은집이나 주택이나 사원을 만드는 데 있어, 미터는 이상하고 현실적인 측정방법을 도입한 것 같다. 자세히 살펴보면 건축에서 혼란과 오용 현상이 나타나는 이유를 거기서 찾을 수 있을 것이다. 혼란이란, 꽤 잘 들어맞은 말이다. 미터법은 그 목적(인간을 포용하는)에서 혼란을 일으키고 있다. '미터법'을 사용한 건축은 약간 길을 잘못 들어선 것처럼 보인다. '피트-인치'를 사용한 건축은 거센 혁신의 물결이 밀어닥친 지난 세기를 겪으면서도 확신과 매력적인 연속성을 보여주면서 존속하고 있다.

이상이 본 연구의 분위기를 알려주는 머리말이다. 다음 장부터 무슨 말을 하지 않아도 무엇을 하고 있을지를 희미하게 알아차렸을 것이다. 그 첫째로 강조나 과장이 없는 충실한 설명으로 발명이 어떻게 이루어지는가, 그리고 발견이 어떻게 이루어지는가를 보여줄 것이다.

세계 모든 부분에서 제작, 수송, 구매되는 가정용, 산업용, 사업용 물품의 제조에 있어서 현대 사회는 포함하는 것과 포함되는 것의 치수들을 지시할 수 있는 공통된 측정 방법을 결여하고 있다. 다시 말해서 수요와 공급 모두에게 만족스러운 확고한 표식이 없다는 것이다. 그러한 측정 방법을 제안하려는 것이 우리가 갖고 있는 큰 계획의 목표이다. 그것이 곧 존재 이유이다.

그리고 또 우리의 노력들이 조화롭게 보상을 받을지 누가 알겠는가?

2장 • 연대기적 검토

모든 발견

은 언젠가 누군가의 머리와 눈과 손을 거쳐야만 했다. 일반적으로 적절한 배경과 환경 속에서 적극적으로 탐구를 진행하면 결실을 맺을 수 있는 조건이 주어진다. 미래의 언젠가 미터와 피트-인치를 보충하는 역할을 하는 새로운 측정 방법의 사용을 제안하는 것은 과도한 주장처럼 보인다. 이것이 만약 위원회나 의회의 업적이라면 받아들이기 쉬울지도 모른다. 그런데 그 생각은 평범한 한 사람, 전문 연구가도 아니지만 어떤 특정한 장소의 산물, 즉 자신의 환경으로부터 혜택을 받고, 때에 따라 자신에게 맞도록 환경을 창조한 사람에게서 떠올려졌다. 여기서 문제의 남자는 건축가이자 화가로서, 지난 45년간 모든 것이 측정되는 예술에 종사해 왔다.

1900년부터 1907년까지 그는 훌륭한 스승 밑에서 자연을 연구했다. 그는 도시에서 멀리 떨어진 높은 쥬라Jura 산맥의 자연 현상을 조사했다. 당시 유행은 장식의 새로운 요소를 자연 속의 식물, 동물 혹은 하늘의 변화를 연구해서 찾아내었다. 자연은 질서와 법칙이며 통일과 무한한 변화, 미묘하고 강력해서 조화적이라는 것이 15세에서 20세 사이에 배운 교훈이었다.(그림 1[1])

(그림 1)

19세 때 그는 이탈리아로 가서 개성적이고, 환상적이고, 우수한 예술 작품을 보고자 했다. 파리는 그에게 중세의 교훈으로서 그 엄격함과 과감한 모습, 루이 왕의 위대한 세기에 요구되었던 도시성과 사교성을 가르쳤다.

23세에 그는 제도판에서 그 자신이 만들고자 하는 집의 입면을 그렸다. 그의 마음속에 한 가지 난제가 떠올랐다. "모든 것을 결합하여 질서를 세우는 법칙은 무엇인가? 나는 기하학 문제에 직면하고 있다. 나는 오로지 시각적 한 현상에 있다. 무언가 자기 생명을 지닌

---

[1] 《그림 1》은 45년 전에 숲에서 그린 것으로 수직에 대한 간격이 내려오면서 짧아질 수 없는 것이 당연하지만 그림에서는 밑으로 오면서 짧게 그렸기에 읽은 이에 따라 바로 잡아야 한다.

《 그림 2 》

것이 탄생하려 한다. 사자는 과연 발톱으로 사람들에게 알려질 것인가? 발톱은 어디에 있는가? 사자는 어디에 있는가? …… 큰 불안, 많은 추구, 많은 의문."이라고.

조사여행 도중, 그는 브레멘Bremen에서 어느 새로운 별장을 방문했을 때 그 집의 정원사가 하던 이야기를 생각해냈다. "알고 있습니까. 매우 복잡하지만 당신은 여기에 곡선, 각도, 계산된 수치에 관한 모든 종류의 비결이 있다는 것을요. 이건 매우 정교한 것이지요." 그 별장은 네덜란드인 도른 브릭Thorn Brick(?)의 소유였다(1909년경).

파리에 있는 작은 자기 방의 석유램프 밑에 앉아 있던 어느 날, 책상 위에는 그림엽서가 정렬되어 있었다. 그의 눈은 로마에 있는 미켈란젤로의 캐피톨Capitol의 사진에 매료됐다. 그의 손은 이미 다른 한 장의 엽서를 뒤집어보면서, 직관적으로 그 하나의 각(직각)을 캐피톨의 입면에 움직였다. 그러자 갑자기 낯익은 진리가 신선한 감동과 함께 떠올랐다. '직각이 구도를 지배한다. 따라서 직각의 위치가 전체 구도를 통제한다.' 이것은 그에게 하나의 계시이며, 확신이었다. 같은 실험이 세잔느Cézanne 그림에서도 이루어진 적이 있었다. 그러나 그는 그 판단을 신뢰하지 못하고 자문했다. '예술 작품의 구성 법칙은 잘 정해져 있다. 이 법칙들은 미묘한 의식적인 방법일 수도 있고 단지 평범한 규칙일 수 있다. 또한 예술가의 창조 본능, 직관적 조화의 발로를 의미할 수도 있을 것이다. 이것은 세잔느의 경우에서 목격된다. 미켈란젤로는 미리 생각한 신중하고도 의식 있는 디자인을 따르는 경향을 가진 서로 다른 특성의 인물이었다.'

한 권의 책이 그에게 확신을 가져온다. 오귀스트 슈와지Auguste Choisy의 『건축사History of Architecture』. 그 속에 기준선regulating lines에 대한 언급들이 있다. 그렇다면 구성composition 해가

24

는 데 기준선이라는 것이 있었을까?

1918년, 그는 진지하게 그림을 그려낸다. 처음 2개는 있는 것만으로 정리됐다. 세 번째는 1919년에, 화면에 차려진 모양으로 배치하려 시도했다. 그 결과는 대체로 좋았다. 그러나 네 번째는 세 번째를 수정하여 뚜렷한 반복에 따라 움직여 맞추어 조립한 것이었다. 그 결과는 물론 좋았다. 1920년 이후에도 그림은 계속 나왔다. 이것들은 견실한 기하학에 의지한 것이다. 2가지 수학의 원천, 직각의 위치와 황금비가 이용되고 있다.〔A〕

그때는 끝없는 지적 결실이 있던 생산력이 있는 나날들이었다. 잡지 《에스프리 누보 L'Esprit Nouveau(새로운 정신)》가 창간되었고, 그는 다른 사람들을 주재하여 편집을 맡았다. 그는 여러 편의 이론적 논문을 썼다. 제1차 세계 대전이 끝나갈 무렵, 다시 한 번 근본 원리와 타협할 필요성을 느꼈기 때문이다. 그 작업들은 바로 《에스프리 누보》에서 완수했다.

건축에 손을 대지 않은지 이미 6년이나 된 1922년에 그는 다시 활동하기 시작했지만, 그것은 1920년 이래 《에스프리 누보》에서 이 활동에 재개하는 확고한 원리의 근원을 준비하고 있었던 것이다. 초기의 새로운 집들은 건축의 새로운 개념, 시대정신의 표현이었다. 기준선이 건물 입면을(입면만을) 이해하기 쉽게 했다. 그의 연구는 복합적이고 광범위했다. 도시 계획의 기본 단위(인구 300만 현대 도시, 1922년), 세포 단위의 결정(주거의 수용 인원), 커뮤니케이션의 조직망(도로의 네트워크의 교통망) 등으로 사실 이미 15년 전(1907년)에 토스카니의 에마 양로원Charterhouse of Ema에서 이미 경험한 바 있었던 근본적 건축의 조직 과정이었다.(개인의 자유와 집단의 조직)

그는 여행 도중에 민속적인 것이든 혹은 높은 지성에 의해 만들어진 것이든 간에, 조화를 이룬 건축에서는 천장과 바닥과의 간격이 대략 2.10미터에서 2.20미터(7~8피트)라는 일정함도 찾아냈다. 그것은 발칸 지방의 집에도, 터키의 집에도, 그리스와 티롤, 바바리안, 스위스, 프랑스의 오래된 고딕의 목조 주택에서도, 그리고 생 제르맹Saint Germain 성 밖의 '작은 방들', 루이 14세, 루이 15세의 쁘띠 트리아농Petit Trianon에서도 또한 루이 15세부터 왕정복고 시대에 이르는 동안에 파리 상점들도 전통은 다락방이 있고 높이를 2.20미터로 하고 있다. 거기에도 팔을 올린 인간의 높이가 가장 인간적인 높이였다.[B]

그는 자신의 건축물에서 시의 법규를 위반하더라도 이 매력적인 높이를 도입하지 않을 수 없었다. 어느 날 파리의 중요 구역 시의원은 그에게 "우리는 당신에게 조례를 어길 수 있는 권한을 부여합니다. 왜냐하면 당신은 사람들에게 행복을 주기 위해 일하고 있다는 것을 우리가 알고 있으니까요."라고 선언했다.

《에스프리 누보》는 일명 '현대적 활동의 국제 저널'이라는 부제가 붙어 있었다. 그중에서 때로는 '현상의 상호 의존성' 문제가 평가되고, 인정되고, 논의됐다. 그리고 우리 시대에는 '규칙이 통제할 수 있는 것은 아무것도 없다.'는 사실이 확인됐다. 하지만 사실상 그 계획은 현대 미학의 발달에 기여한 것이었는데, 경제 요소와 타협하게 됐다. 어느 날 〈대량 생산에 의한 건설〉이라는 제목의 기사를 놓고 큰 소동이 벌어졌다. 이 기사는 주택을 '살기 위한 기계'로 묘사하고 있었다. 대량 생산, 기계, 능률, 원가, 속도 등 이 모든 개념은 측정 체계의 출현과 규제를 요구했다(1921년).[C][2]

《에스프리 누보》는 정신의 가장 혁명적이고 창조적인 시기를 가리키는 말인 입체파의 대변자가 됐다. 이것은 사회와 경제를 뒤집는 것 같은 기술적 발명이 아니라, 사색의 해방과 개화인 것이다. 그것은 다가올 시대의 단서인 것이다. 조형미술의 근본적인 개혁의 시기, 이 개혁이 이때 건축에 들어간 것이다.[D]

그는 독학자였다. 항상 공공 교육으로부터 도망갔다. 그러므로 그는 규범적인 원리에 대한 지식을 갖지 못했다. 학교로부터 자유로울 수 있었기에 그는 열린 마음과 예리한 눈을 가질 수 있었다. 입체파로서 그는 조형 현상에 많은 흥미를 느꼈다. 그는 음악가 가정에서 출생했지만 악보도 읽을 줄 모른다. 그러나 그는 대단한 음악가로서 음악이 어떻게 만

---

[2] 이러한 생각은 악평을 낳았다. 1935년 나의 첫 번째 미국 여행 때, 모든 사람의 일치된 평론에 나는 불만이었다. …… (미국은 그것을 매우 모욕이라 생각했다.) … 그러나 1949년 오늘날 슬로건은 대량생산, 기계, 효율성, 원가 그리고 신속 …….

들어져 있는지를 잘 알고, 음악을 논하고 평할 수도 있다. 건축처럼 음악은 시간과 공간이다. 음악과 건축은 측정방법이라는 문제에서 서로 비슷하다.

《에스프리 누보》(1921년)에 〈기준선〉에 대한 그의 기사가 나오고 나서 몇 년 후에 자연과 예술의 비례와 황금 비율에 대한 수학적인 증명(어려운 공식 있는 것)의 마틸라 기카Matila Ghyka의 책이 나왔을 때, 그는 이 책에 수학적 논쟁(대수의 공식 따위)을 따라갈 수 있는 준비가 되어 있지 않았다. 그러나 그는 즉시 그 책에서 주요한 대상으로 여기고 있던 숫자들의 뜻을 찾을 수 있었다.

어느 날 취리히(현재는 발르Bâle) 대학 앙드레아 스페이저Andreas Speiser 교수가 그룹 이론과 정수론에 우수한 연구를 하고 있던 때에, 이집트 문양이나 바하나 베토벤에 대한 논문, 그들의 논쟁과 증명이 대수학에 있다는 것을 그에게 보여줬다. 그는 교수에게 "나도 그렇게 생각합니다. 자연은 수학이고 예술의 걸작은 자연과 공명하고 있습니다. 그것은 자연 법칙을 나타내고 그것을 보여주는 것입니다. 따라서 예술 작품은 수학이며, 학자는 이에 꾸준한 사색을 추가해서 수많은 공식을 응용할 수 있는 것입니다. 예술가는 무한하고 비상한 감수성을 가진 매체입니다. 그는 자연을 감수하여 식별하고 그것을 걸작으로 번역합니다. 그는 자기 운명의 해석자인 동시에 희생자입니다. 예를 들어 당신은 논문에서 그 구성의 현란한 특질을 논증하기 위해서 이집트의 장식을 택했습니다. 나는 조형미술 작가입니다. 만일 이러한 종류의 가장자리 장식을 디자인해 보라는 주문을 받는다면, 나는 이 특수한 장식 배열을 떠올리지 않을 수 없는데, 그것은 피할 수 없는 장식품의 특성이기 때문입니다. 그것은 지극히 간단한 해결책들 가운데 하나이며, 그 열쇠는 인간 속에 존재하는 기하학 정신에 따라 조건 지워진 기하학 그 자체이며, 그것은 바로 자연 법칙에도 그대로 존재하고 있습니다."

《 그림 3 》

이러한 것에 대한 지대한 관심으로 우리의 건축가는 1933년경에 전혀 기대하지 않았던 축하와 명예를 얻게 되었다. 그것은 취리히 대학 개교 600주년 기념식에서, 형태와 공간의 조직에 관한 연구에 대해 수학 명예박사 학위를 수여받게 된 것이다. 1945년, 몇 년 동안 강요된 침묵 끝에, 그는 '표현할 수 없는 공간'이라는 말로 자신의 느낌을 표현하였다.

"공간을 소유하는 것은 생물의 첫 번째 행위이다. 인간도, 짐승도, 식물도, 구름도, 그것은 평형과 생존의 근본 표시이다. 존재의 첫 번째 증거는 공간을 차지하는 것이다."

"꽃, 풀, 나무, 산 등은 모두 수직으로 서 있고 한 환경에서 살고 있다. 만약 그 모습에 진실로 위대한 그 무엇이 있다는 느낌이 든다면, 그것은 그것들이 그 자체에 포함되어 있으면서도 주변 지역에 여운을 남기고 있기 때문이다. 우리는 너무 많은 자연의 조화를 느끼고 갑자기 걸음을 멈추게 된다. 그리고 많은 공간을 통제하는 엄청난 통일성에 감동을 받는다. 그러고 나서 우리는 우리가 보는 것을 측정한다."

"건축, 조각, 회화는 본래 그 종류나 공간에 따라 각각의 방법으로 공간을 배치하게 관련되어 있다. 여기에서 말하는 근원적인 것은 미적 감동의 열쇠는 공간의 작용에 있다는 것이다."

"주변 환경에 대한 예술작품(건축, 조각, 회화) 작용은 소리, 비명 또는 소란(아테네 아크로폴리스의 파르테논)으로 나타날 수도 있고, 마치 폭발로 생긴 것 같은 발산하는 빛으로 나타날 수도 있다. 직접적인 것이든 보다 멀리 떨어진 것이든 환경은 모두 그 작품 영향에 따라 떨리거나 흔들리거나 지배받거나 포용되거나 한다. 환경의 반응은 방의 벽, 그 크기, 입면 각각의 무게를 가진 장소, 경치의 넓이 또는 기울기, 그리고 벌거벗은 들판의 지평선이나 당당한 산맥의 구부러진 윤곽 등이 모두 그러하다. 즉, 인간의 의지를 움직이는 곳에 대해 그 자신의 깊이와 높이, 딱딱하거나 부드러운 표면, 폭력과 관용을 강요할 것이다. 일종의 조화가 여기서 창조된다. 그것은 조형 물질의 음향 효과가 제대로 나타난 것으로서 수학적인 훈련과 마찬가지이다. 음악에 기쁨(화음)을 가져오든지 억압(불협화음)을 가져오든지 하는 것은 장소가 아니다. 그야말로 가장 미묘한 현상 가운데 하나이다."

"전혀 자만할 생각은 없지만, 다만 1910년을 전후하여 신기할 정도로 창조적인 초창기 입체파 시절을 거치는 동안 같은 세대의 예술가들이 처음 시도했던 공간의 '확대'에 대해서 말하고 싶다. 그들은 4차원을 이야기했다. 어떤 사람들은 지각과 통찰력이 다른 사람보다 약간 우수했고, 또 어떤 사람들은 약간 열등했다. 예술과 특히 조화의 탐구에 바친 삶을 통하여 (세 부문의 예술(건축, 조각, 회화)을 실제로 거치는 동안) 나는 내 나름의 무언가를 배울 수 있었다."

'내가 믿기에 4차원이란 예술 작품에 사용된 조형 수단의 고도로 행복한 조화가 가져온 무한한 자유의 순간이다.'

'그것은 예술가에게 선택된 주제의 효과가 아니라, 모든 사물 속에 내재된 비례의 승리이다.'

'그것은 작가적 의도의 완성일 뿐만 아니라 작품의 물리적 특질이기도 하다. 그것은 통제된 것일 수도 있고 그렇지 않을 수도 있으며, 유형적인 것일 수도 있고 무형적인 것일 수도 있다. 하지만 모든 경우에 존재하고 있으며 직관에 의존하고 있다. 그것은 획득되어 소화되었거나 어쩌면 잊혀졌을지도 모르는 지식을 현장에 적용시켜주는 기적의 촉매이다. 성공적으로 완성된 작품은 그 내부에 엄청난 양의 의도와 참된 세계를 포용하고 있다. 그 참된 세계는 가질 권리가 있는 사람, 즉 받을 만한 자격이 있는 사람에게 모습을 드러낸다.'

'그러면 헤아릴 수 없는 깊이가 입을 크게 벌리고, 모든 벽이 무너지며, 다른 모든 존재

의 패퇴와 동시에 표현할 수 없는 공간의 기적이 성취된다.'

'나는 신념의 기적을 경험해본 적은 없지만, 그러나 종종 표현할 수 없는 공간의 기적을 조형감정의 찬양을 경험해왔다.'

1925년부터 1933년에 걸쳐 창작이 많았던 시절, 그것은 프랑스 건축이 번성했던 시대이고 전쟁 위기에 이르기 이전 이었지만, 그는 인간의 척도로 건축하는 욕망, 수요, 필요성을 느꼈다. 그는 아틀리에 벽의 높이를 4m로 정하기 시작했고, 그 안에서 그는 진정한 측정 방법으로 자신을 만나고 자신의 키를 잴 수 있었다. 그리고 휴식과 앉아 있기, 걷기 따위의 치수를 잴 수 있었다. 이러한 경험에서 미터법은 다만 숫자(다행히도 십진법에 따라 통제되는)에 지나지 않는다는 사실이 드러났다. 결국 이것은 추상적 숫자이므로, 건축에서도 간격(공간의 측정)을 한정할 능력이 없는 것이다. 사실 그것은 위험한 도구이기도 한데, 왜냐하면 사람들은 숫자에 맹목적으로 복종하기 시작하며 무지이든가, 게으름이든가 다른 편리한 측정 방법들에까지 그것을 끊지 못하게 하기 때문이다. 1미터, 1/2미터, 1/4미터 등 …, 이것이 지난 백 년 동안 서서히 일어난 발달의 모습이며, 건축에도 많은 손해를 줬다.

이리하여 그의 생애 어느 시기에 그는 AFNOR의 표준화 방향에 얼굴을 마주 하게 됐다. 그 회의의 결과가 몇 년 후에 이 결실을 맺는 만남이 됐다.

AFNOR은 점령 국가의 재건을 돕기 위해 만들어진 것이다. 공업가, 기술자 및 건축가들이 특히 건축물에 관한 모든 것들에 대한 표준화에 필요한 작업을 위해 모였다. 그는 20년 전에 다음을 쓰고 비평 하였음에도 불구하고, 그 자리에 초대되지 않았다.

'완전함의 문제에 맞서기 위해 어떤 표준을 세우는 방향으로 가야 한다.'
'파르테논은 하나의 표준을 활용하여 정선된 생산물이다.'

'건축은 표준 위에 구축된다.'

'표준은 논리와 분석과 신중한 연구의 산물이다. 그것들은 적절히 진술된 문제의 기반 위에서 진화한다. 그러나 최종 분석에서는 실험에 따라 표준이 수립된다.'

〈보이지 않는 눈〉, 《에스프리 누보》 1920년 및 《건축을 향하여》, 1923년)

'중공업은 건축물에 관련되어야 하며, 그 구성 부분들은 대량으로 생산되어야 한다.'

'대량 생산이어야 하는 정신 상태로 창조되어야 한다.'

'대량 생산된 주택을 세우기 위한 정신의 틀,

대량 생산된 주택에서 살기 위한 정신의 틀,

대량 생산된 주택을 상상할 수 있는 정신의 틀.'

〈대량 생산된 주택〉, 《에스프리 누보》, 1921년)

그러한 작업을 위해서 표준화가 필요하다. 당신에게 위험스런 많은 아이디어도 있다! AFNOR의 제1회 부품의 규격이 발간되었을 때, 그는 그 직관에 의한 인간적인 척도로, 조화되는 크기로 건축 및 기계에 전반적으로 유효한 척도에 대한 생각을 명확하게 만들기 위한 결심을 했다.

* * * * *

그림 A, B, C, D, E는 1918년부터 그의 기준선에 따라 그의 그림이거나 건축 작품을 재현한 것이다. '직각의 위치', 황금 비율, 대수표에 입각한 나선구조, 5각형 …… 등 기하학적군. 이들은 각자 나름의 특수한 평형 감각이 있으며, 거기에서 성격이 생긴다. 기준선은 원칙적으로 미리 구상된 계획이다. 그것은 구성 자체의 요구에 따라 특정한 형태로 선택된다. 그 구성은 이미 형식화되어 있고, 이미 훌륭하게 실존하고 있다. 선은 다만 기하학적 평형의 차원에서 질서와 명료성을 수립하여 참된 정화 작용을 이룩할 따름이다. 기준선은 시적 개념이나 정서적 생각을 가져오지 않는다. 선은 작업의 주제에 영감을 주지 못하고, 창조적이지도 못하다. 기준선은 단지 균형을 수립한다. 순수하고 단순한 조형의 문제이다.

〈그림 4〉　　A　　　　　　　　　　　　B　　　　　　　　　　　　C

지금 여기에 같은 시대에 만들어진 여러 건축의 입면(작은 주택, 공공건물, 복합 건축물 등)이 있다.

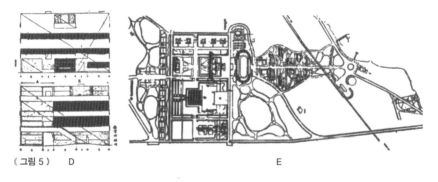

〈그림 5〉　　D　　　　　　　　　　　　　　　　　　　E

회화도 건축도 황금 비율의 직각의 위치, 2.20미터 높이(팔을 올린 인간의 높이)를 존중하고 있다.

제2차 세계 대전이 시작되고 파리는 점령되어 경계선이 확정되고, 프랑스는 2개로 나뉘었다. 나의 사무실은 1940년 6월 11일부터 폐쇄됐다. 4년 동안 나에게 재건을 위한 일은 하나도 맡겨지지 않아, 그 기간 동안 나는 이론 연구에 몰두할 수 있었다. 특히 1942년 말에 협회의 배려로 창립된 ASCORAL은 11개 분과와 하위 분과가 각각 월 2회씩 감시의 눈을 피해 은신처에 모여, 책 12권 정도의 콘텐츠를 준비했다. 제3분과 "주거 과학"은 다음 3개 하위 분과로 나뉘어져 있었다.

    (a) 주거 시설

    (b) 규격화와 구조

    (c) 공업화[3]

내 사무실 청년 중 한 사람인 해닝Hanning은 다른 지역인 사보아Savoy로 가야만 했다(1943년). 그는 나에게 빈 시간을 채우기 위해 뭔가 숙제를 달라고 요청했다. 그는 1938년부터 나와 함께 일하고 있었고 비례에 대한 오랜 연구, 내용, 경과 과정도 잘 알고 있었다. 나는 그에게 "지금 AFNOR는 건설을 위한 부품을 표준화하자고 제안하고 있지만, 그 사용하려는 방법은 간단하고 일반적인 관례 내지는 건축가, 기술자, 공업가들이 사용하고 있는 것으로부터 단순한 산술, 단순한 평균치를 낸 것에 지나지 않는다. 나에게 이 방법은 임의적이고 빈약해 보인다. 나무를 예로 들어보자. 만일 내가 줄기와 가지, 잎과 잎맥을 바라본다면, 성

---

[3] 다음의 책들이 이미 출간되었거나 출판을 기다리고 있다.
『4종류의 교통수단에 관해서(Sur les 4 routs)』, N.R.F. 1941 ;
『아테네 헌장(Charte d'Athènes)』 Plon, 1942 ;
『인간의 집(La Maison des Hommes)』, Plon, 1942 ;
『학생들과의 대화(Entretien avec les étudiants)』, Denoäl, 1942 ;
『도시 계획을 생각하는 방법(Manière de Penser 1'Urbanisme)』, (Ascoral 1943~46). Edit. : l'Architecture d'Aujourd'hui :
『도시 계획에 관해서(Proposd'Urbanisme)』(1945), Bourrelier, 1946.
이들 가운데 여러 권은, 영어, 스페인어, 이탈리아어, 덴마크어 등으로 번역됐다.

장의 법칙과 교체의 가능성이 보다 미묘하고 풍부한 그 무엇일 수 있으며, 또 그렇게 되어야만 한다는 것이다. 이들 사이에는 어떤 수학적 연계가 분명히 있어야 한다. 내 꿈은 국토의 전 지역에 적용될 수 있는 작업장에, 벽 위에 그려지고, 벽에 새겨지고, 철띠로 만들어진 '비례의 그리드grid of proportions'를 세우는 것이다. 그 그리드는 작업장에 규칙이 되고 조화와 비례의 끝없는 연속성을 넓혀주는 표준이 된다. 석공, 목수, 내장목수들은 자신들의 작업을 위한 측정 방법들을 선택해야 할 때 언제나 그것을 참조할 것이다. 그들이 만든 모든 요소들은 제아무리 다양하고 상이하더라도 조화롭게 결합될 것이다. 이것이 나의 꿈이다."

"팔을 올린 인간의 높이 2.20미터를 생각해보자. 그 사람을 1.10미터의 사각을 2개 거듭한 가운데 넣어보자. 이 2개의 정사각형에 걸친 제3의 정사각형이 무엇인가 해답을 줄 것이다. 직각의 위치야말로 이 제3의 정사각형을 어디에 배치시킬 것인가에 관해 결정적인 도움을 줄 것이다.

작업장의 그리드, 그리고 그 속에 인간에게 알맞은 그리드를 사용함으로써 사람의 키(팔을 올린)와 수학을 조화시킬 수 있는 일련의 치수에 도달할 수 있다는 것을 나는 확신한다. ……"

이러한 것들이 해닝에게 보낸 내 지시였다. 1943년 8월 25일 첫 번째 제안이 도착했다.《 그림 6 》

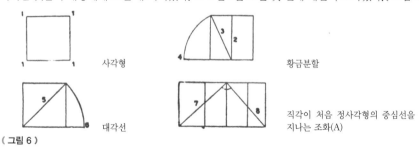

사각형

황금분할

대각선

직각이 처음 정사각형의 중심선을
지나는 조화(A)

《 그림 6 》

34

그러는 동안 ASCORAL 측에서도 역시 작업을 하였고(Section Ⅲ b), 그중에서도 엘리자 메야르Elisa Maillard[4] 양의 열의는 대단했다. 1943년 12월 26일 그녀는 (A) 방안의 수정으로 다음처럼 제안했다.《그림 7》

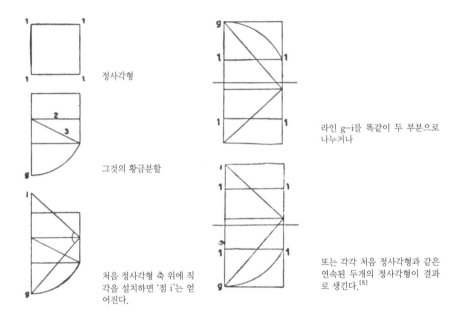

정사각형

그것의 황금분할

처음 정사각형 축 위에 직각을 설치하면 '점 i'는 얻어진다.

라인 g─i를 똑같이 두 부분으로 나누거나

또는 각각 처음 정사각형과 같은 연속된 두개의 정사각형이 결과로 생긴다.[5]

《 그림 7 》

[4] 그녀는 클뤼니(Cluny) 박물관에서 근무하는데, 기준선에 관한 탁월한 저서 『황금수(Du nombre d'or)', ed or)' André Tounnon et Cie』의 저자이다.

[5] 이러한 과정으로 만들어진 3개의 정사각형의 절대적 동질성에 관해서는 이 책의 끝 부분에서 밝혀질 것이다.

g-i 선을 따라서 의미 있는 치수가 드러나는데, 그 상호 관계는 가능성이 무한하지만 아직 체계를 반영하고 있는 것 같지 않다.

《그림 8》을 따라서 읽어보자.

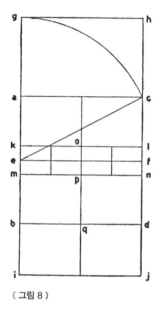

abcd=처음의 정사각형 ;

ef=중앙선median ;

*f*에 관해서는 *g*에 고정된 직각에 설치되고 i는 연장된 gb로 만난다.

bdij는 2개의 사각형이고 bi와 dj는 iq와 qj의 *Φ*(파이)[6]의 관계이다.

ghji의 수평 중앙선=kl이고;

kl의 대칭=mn이고

수직 중앙선 op에 의해서 양분되는 klnm은 komp와 olnp를 낳는다. 그 대각선과 긴 변은 서로 황금분할의 관계에 있다.

gi선에서 m이 *Φ*(파이)점인 것을 알 수 있다.

m=abcd 의 *Φ*(기본 정사각형)

k=dcab 의 *Φ*

k=ghij의 중앙

《 그림 8 》

---

[6] 파이는 황금비이고 약 1 : 1.618이다.

gi에서 우리는 5요소의 증가하는 행렬을 목격할 수 있다.

km;   gk=ki:

ka=mb=hi;   gb.

ga=am=kb;

만약 gk=ki라면, gklh와 klji는 인접되고 똑같은 2개의 정사각형이다. 그리고 이들은 모두 처음의 정사각형 abcd와 크기가 같다.

따라서 우리는 이제 앞에서 제시된 문제, 즉 팔을 올린 사람 하나를 내부에 담은 인접한 두 정사각형 속에 '직각의 위치'를 기준으로 제3의 정사각형을 끼워 넣는 문제에 대한 해답을 얻어냈다.

이 그림은 거꾸로 할 수도 있고, 결과는 다음과 같다.

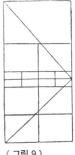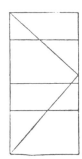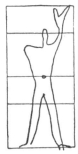

《 그림 9 》

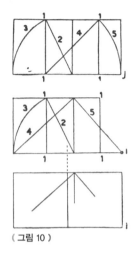

그리하여 우리는 두 개의 다이어그램과 만나게 되는데, 이 둘은 외형이 동일하지만 서로 다른 절차에 따라서 만들어진 것이다. 처음 정사각형의 두 대각선을 사용하는 것이 해닝의 도형이다.

파이를 사용하는 것이 메야르의 다이어그램이다.(처음의 대각선에서 나와서 직각을 만들고 점 'i'를 결정해준다.)

점 'i'는 처음의 정사각형과 동일한 두 개의 정사각형을 만들어준다.

(그림 10)

해닝의 다이어그램은 점 'i'와 정확하게 일치하지 않는 점 'j'를 낳았다.

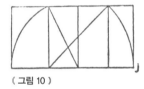

(그림 10)

여기서 바로 그리드가 탄생됐다(물론 점 i, j에 대해서 약간의 불확실함이 없는 것은 아니지만). 이 비례 그리드는 조화롭고 유용한 측정치들을 풍부하게 제공할 수 있도록 건물의 터에 자리를 잡게 되며, 이로써 방과 문, 찬장, 창문 따위의 계획을 가능하게 해줬다. 그리하여 대량 생산과 무한한 조합으로 변형되고 미리 조립된 건물의 요소를 만들어내서 어려움 없이 결합한다.

38

우리는 세브르Sèvres 거리의 작업실에서 다시 '적합한 크기의 주거 단위Housing Units of Proportional Size' 연구를 시작하였다. 그것은 이미 과거 1922년에 처음으로(독립 주택형) 나타났고, 다시 1925년에 나타났다가(국제 장식미술박람회에 출품된 건물, '에스프리 누보L'Esprit Nouveau'의 집), 마지막으로 1937년에 나타났다(리로 엥사뤼블 No6L'Ilot Insalubre No6(비위생적 도시)). 비례 그리드는 우리에게 구도 내에 있는 대상물체의 치수를 결정하는 데 있어 비상한 자신감을 부여해줬다. 우리가 창안한 것은 표면 요소, 즉 수학적 질서를 인체 치수에 적용하는 그리드이다. 우리는 그것을 사용했지만 우리의 발명에 대한 정의가 여전히 부족했기 때문에 완전히 만족하지 않았다.

실제로 우리는 아직 의견이 일치하지 못했다. 사보아Savoy에서 해닝은 1944년 3월 10일, 메야르-르 코르뷔지에의 도형이 수학적으로 불가능하다는 편지를 써왔다. 직각의 꼭짓점은 두 개의 정사각형의 경계 S에 위치한다.《그림 11》 "오직 하나의 직각만이 가능하다. 그것은 두 개의 정사각형의 대각선이 만드는 것이다."라고. 그것은 그의 1943년 8월 25일의 사선 7-8《그림 6》의 출현과 서로 모순되는 것이었다. 그 사선은 1948년 8월에 다시 나타나는데, 그때 비로소 알맞은 설명이 찾아졌다.

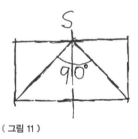

《 그림 11 》

독자들은 이 연구가 진행되어 온 환경을 생각해주길 바란다. 파리는 독일군의 점령 아래 있고, 사람들은 나누어져 있으며, 모임을 갖는 것도 어려웠다. 파리의 참담한 분위기 속에서 건축에 관한 토론을 전문가들 사이에서 하고 있었지만, 이것은 실로 어려운 일이었다. 1940년 말 비시Vichy 정부가 만든 건축사 집단에 관한 새로운 법 때문에 나도 입후보를 해야 했다. 나의 신청은 베르사유 근처에 영국군의 포성이 들릴 때까지(1944년 여름) 만 14개월 동안을 건축사 집단의 심사를 받았다. 날마다 ASCORAL의 모임은 촛불 아래 전화도 난방도 없이 세브르 가 35번지 사무실에서 열렸다. 표준화에 관련된 Ⅲ b 분과는 힘들게 앞으로 나아가고 있었다. 우리는 이따금씩 AFNOR의 공식적인 업무 결과를 전해들었다. 그 자신이 AFNOR의 한 성원이기도 한 Ⅲb 분과의 책임자는 1943년 10월 16일 다음과 같은 편지를 보내서 그 동안의 진행 상황을 내게 알려 줬다. "ASCORAL과 AFNOR의 관점에는 근본적 차이가 존재하는데, 한편은 있을 수 있는 최선의 상태를 원하고, 다른 한편은 있는 그대로 평균을 원하고 있다."

1944년, 그리고 해방.

그 가을, C.I.A.M.의 '아테네 헌장'이 토론의 기초로 사용되어야 하기에, 나는 국립 건축가 협회 이론위원회Commission Doctrine of the National Front of Architects의 일원이 됐다. 부흥, 건설, 양산 부재의 확립, 조화……, 비례에 근거한 그리드 등의 단어들이 의사록에 유례없이 많이 등장하게 됐다.

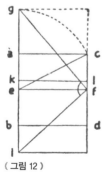

《 그림 12 》

1945년 2월 7일, 메야르 양과 나는 소르본느 대학교 과학 학부장인 M. 몬탈M. Montal 학장을 방문하여, 그에게 우리의 그리드 도식을 보여줬다. 그의 대답은 이랬다. '여러분이 이중 정사각형의 내부에 직각을 배치하는 데 성공했다면, 그것은 $\sqrt{5}$의 수학적 기능을 도입했다는 뜻입니다. 결국 황금분할의 개화를 가져온 셈입니다.'

1945년 3월 30일, 우리는 비례 그리드에 관한 진지한 작업을 재개했다. 워젠스키Wogensky와 해닝Hanning, 오자므Aujame, 드루즈de Looze 등이 나와 함께 일했다. 외무성의 문화부에서 나는, 미국에 파견할 건축 관계 사절단을 조직하고 주재해줄 것을 요구했다. 나는 조립식 주택의 부분품 제조에 도움이 되는 측정 방법으로 비례 그리드를 미국에 소개해주고 싶었다. 우리는 그리드의 가능한 전체 조합을 나타내는 일련의 그림을 작성해보았다. 이에 앞서 우리는 기하학적 조합에 인체의 값을 대입해서 조사를 했다. 이를 위해 우리는 키 1.75미터가 되는 사람을 채택했다. 따라서 그리드에 175-216.4-108.2라는 치수가 주어졌으며, 이 치수는 점증하는 파이수열과 일치하는데, 여기서 1, 2, 3, 4, 5, 6, … 은 아래 그림과 같다.

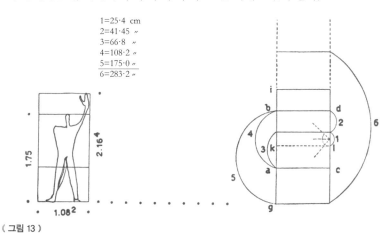

$1 = 25 \cdot 4$ cm
$2 = 41 \cdot 45$ ″
$3 = 66 \cdot 8$ ″
$4 = 108 \cdot 2$ ″
$5 = 175 \cdot 0$ ″
$6 = 283 \cdot 2$ ″

《 그림 13 》

여기서 문제의 수열은 연속된 두 항의 합이 그 다음 항의 값이 되는 이른바 피보나치 Fibonacci 수열로 알려져 있다.

바로 그 부분에서 우리는 특허를 얻어냈다.

이 주제를 좀 더 자세히 보는 것도 상당히 흥미로울 것이다.

나에게 비례 그리드에 대해 간단하고 신속한 설명을 하는 것은 무척 어려운 일이었다.

41

특허청의 관리는 아직 이러한 종류의 아이디어를 받아들일 준비가 되지 않은 엔지니어였던 것이다. 건축, 가구, 도시계획, 건설, 경제, 조형 현상 등과 관련된 오랜 개인적 경험을 가진 그를 어떻게 이해시킬 것인가? 결국 무슨 일인가가 일어나고 있지만 아직 그 정체를 알게 해주는 열쇠를 갖고 있지 않은 셈이다. 그리하여 나는 벽에 걸려 있는 시계가 귀중한 시간 흐름을 분명하게 매초마다 전해주는 그의 사무실에서 예의와 호의로 가득 찬, 한 엔지니어(그는 하루 종일 시계의 모든 음감을 이해하고 있다.)에게 말하고 있었다. 그는 발명가들의 특허를 취급하는 커다란 사무실의 우두머리였다. 나는 그에게 이렇게 말했다. "나 자신의 경험으로부터 얻은 수많은 이유 때문에 발명가들의 특허를 결코 좋아하지 않는다는 점을 무엇보다도 먼저 말씀드리고 싶습니다. 그렇지만 나는 지금 당신에게 비례 그리드라는 것을 이야기하려고 합니다. 그것은 숫자와 도형으로 나타나는데, 아직 그에 대한 정의를 내릴 수는 없습니다. 물론 설명을 원하시겠지만 말입니다. 아마도 내가 지금 하고 있는 이야기를 이해할 수 없을 것입니다. 필요하다면 내 이야기를 두 번이고 세 번이고 반복할 용의도 있습니다. 만일 세 번째 이야기가 끝나고 나서도 이 문제에서 어떤 확고한 흥미를 발견할 수 없다면 나를 내보내도 좋습니다." 그리하여 첫 번째와 두 번째 설명이 이루어졌다. "죄송합니다만, 아직 이해가 되지 않습니다." 세 번째 설명을 하자 "잠깐만, 무언가가 보이기 시작하는군요. 매우 중요하고 흥미로운 것 같습니다." 내가 떠나려 하자, 이 사람은 나에게 말했다. "특허 담당자로서 제 일생을 통틀어서 당신과 함께 한 이 시간은 획기적인 사건이었습니다."

특허청의 장은 우리 발명에서 논의의 여지가 없는 중요성과 상당한 재정적 관심을 보았던 것입니다.

몇 주가 지나고 1년이 지났다. 그 사이에 나는 전후의 조립 주택 건설에 도움을 줄 목적으로 내 발명품을 팔기 위하여 어떤 지혜롭고 세련된 신사에게 내 이권을 빌려줬다. 야심이라고 할 수 없겠지만 적어도 그 문제에 대한 내 느낌은 비례 그리드가 언젠가 조립식 건축의 기초로 사용되려면 피트–인치나 미터법보다 우위에 있어야 한다는 것이었다.

그 사업가는 나에게 말했다. "당신은 자신의 측정 체계를 근거로 건립되는 모든 것에 대해서 특허권을 요구할 수 있는 권리를 가지고 있습니다. 아주 거대하고 무한한 가능성 이지요!" 나의 대리인은 특허권의 범위를 유럽과 미주의 여러 나라로 확장했다. 그는 여러 곳에 대행사들을 세우려는 생각을 하고 있었다.

짧게 말해서 모든 상황이 내 기력을 잃게 하고 있었다. 친절의 화신인 그 특허청장은 놀란 눈으로 나를 바라보면서 말했다. "당신 자신이야말로 당신의 첫째 적이요."

관의 허가를 얻은 관리는 전체적인 모든 점에 대해 접촉하였다. 어느 날 그가 내게 말했다.

"선생의 숫자는 너무 딱딱합니다. 그래서 미터와 피트–인치 체계의 원만한 숫자나 AFNOR의 숫자에 맞지 않습니다. 그러나 숫자의 스케일에서 약간만 융통성을 허용하고자 한다면(5퍼센트 정도만이라도) 모든 일이 쉽게 잘 풀려나갈 것이며, 사람들도 모두 동의할 것입니다."

몹시 불쾌한 제안들이 1945년 한 해를 어둡게 뒤덮고 있었다!

그리고 화물선 '베르농 S. 후드Vernon S. Hood'를 타고 대서양을 건너 미국으로 여행을 갔다.

1946년 어느 날 파리에서 나는 유진느Ugines의 전기화학회사에 있는 친구 앙드레 자울 André Jaoul 씨에게 특허 기술자 사무소에 동반해줄 것을 부탁했다. 나는 그 친구에게 이렇게 말했다.

"나는 지금 여기에 증인을 데리고 와서, 내 발명품으로 재산을 만들려고 하고 있는 것이 아님을 선언합니다. 돈은 문제가 아니오. 알아주십시오. 나는 조용히 그리드에 대한 연구를 계속하고, 일상생활 속에서 그것을 실제로 적용해보고 날마다 조건에 따라 발견하고 그것의 득실을 알고, 나 자신의 눈과 손으로 제대로 조정하고 싶습니다. 나는 상업 조직을 필요로 하지 않으며, 명예도 원치 않습니다. 내 발명의 본질은 바로 그런 것입니다. 그래서 만일 그것이 조금이라도 좋은 점을 가지고 있다면 세계 각지의 내 동료 건축가들이 사용하고 싶어할 것이며, 그들의 정기 간행물들도 자연히 그 연구에 한쪽을 할애하게 될 것이라고 믿습니다. 나는 이러한 문제에 있어 내가 맡고 있는 책임을 분명히 알고 있지요. 여기에 사악하고, 난폭하고, 비양심적인 돈이라는 요소를 끌어들인다는 것은 잘못된 생각입니다. 나는 이 문제에 있어 충분한 양심의 가책을 느끼고 있습니다. 나는 건축가 및 건설 업체가 이 유용한 측정 도구를 사용할 것을 권합니다. 여러 모임에서도 채택할 수 있을 것입니다. 그리고 미래, 만약 그 가치가 있다면 유엔의 경제·사회 이사회에서도 문제를 심의하게 될 것입니다. 언젠가 현재 2개의 척도, 피트—인치와 미터의 장애, 제약, 경쟁, 대립이 없어지고, 우리의 척도가 2개를 떼어 적대하고 있던 것을 화합시키는 도구가 되는지 그 누가 알겠습니까? 만일 내 간청과 성공의 이면에 금전을 주고받는 행위가 있는 사실을 뻔히 알면서도 내가 이러한 사업을 계속 할 수는 없는 일입니다. 이건 일종의 사명입니다. 난 결코 통행세를 거두는 관리로 남고 싶지 않습니다."

이 인터뷰로 문제는 일단락되었고, 화려한 경제 전망을 보장해주던 1945년이 지나가자, 나는 다시 편안한 마음을 찾을 수 있었으며 결국 궁극적인 만족을 얻었다.

사무소에서는 워젠스키Wogensky와 솔탕Soltan이 곧 방문할 미국 여행을 위한 서류들을 준비하고 있었다. 솔탕은 작업에 새로이 참가했기에, 지금까지의 경위, 2개의 정사각형 안에 세 번째 정사각형을 추가하는 따위는 모르고 있었다. 처음 며칠간 그는 일 전반에 대해서 강한 반발을 나타내면서 이렇게 말했다. "당신의 발명은 2차원적 현상에 기초를 둔 것이 아니라 선형 현상에 기초를 두고 있는 것 같습니다. 그리드는 단지 0에서 무한대로 움직이는 일련의 황금분할 집합인 선형 체계의 단편일 뿐입니다." 나는 이렇게 대답했다. "좋습니다. 그럼 앞으로는 비례의 자rule of proportions라고 부르도록 합시다."

그 후로 우리는 침체된 분위기에서 빠져나왔으며, 모든 일이 매우 빨리 움직이기 시작했다.

솔탕은 나에게 튼튼한 종이 위에 1.75m의 키에 맞는 0에서 2.164m에 이르기까지 그려진 멋있는 띠를 만들어 줬다.

1945년 12월 9일, 나는 그 자를 처음으로 사용해보았다.

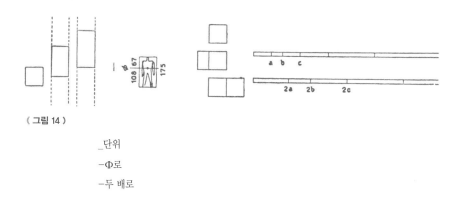

《 그림 14 》

_단위
−Φ로
−두 배로

그리고 리버티-쉽Liberty ship(제2차 세계 대전 때 많이 건조한 수송선) '베르농 S. 후드Vernon S. Hood'가 왔다. 배는 12월 중순경 르 아브르Le Havre를 출항하여 19일 동안 항해 끝에 뉴욕에 도착했다. 처음 6일 동안은 심한 폭풍 속에 나머지 날도 높은 파도 위를 항해했다. 미국 기선 회사는 7~9일 예정이라고 했었는데, 둘째 날에 출항이 발표되었지만, 18, 19일 걸리는 것은 분명했다. 29명 승객들의 분노를 상상해보라! 우리는 공동침실에서 잠을 자야 했고, 선

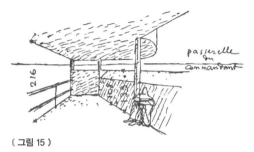

《 그림 15 》

원들은 선실을 차지하고 있었다. 나는 동행인 끌로디우 프티Claudius Petit에게 말했다. "나는 황금율을 설명할 방법을 발견하지 않는 한 이 배에서 하선하지 않겠다." 붙임성 좋은 승객이 상관과 협상하여 선원실 하나를 아침 8시부터 12시까지와 저녁 8시부터 한밤중까지 제공 받았다. 그래서 나는 파도에 휩쓸리면서 하나의 생각을 정리했다. 나는 주머니에 졸탄이 눈금 표시를 해준 띠를 코닥의 작은 알루미늄 상자에 보관되어 있었다. 이 상자는 그 이후 내 주머니를 떠난 적이 없었다. 나는 이따금씩 은신처에 숨어 있는 마술의 뱀처럼 뜻하지 않은 장소에서 보이곤 했다. 여기 한 예가 있다. 우리 몇몇이 화물선의 지휘 갑판에서 바다 공기를 마시며 기분 좋게 웅크리고 있었을 때 우리는 사물들이 멋진 비례를 이루고 있음을 알았다. 즉시 눈금이 매겨진 띠를 꺼내 조사해보니 결과는 뜻하지 않은 대성공이었다.(1945년 크리스마스) 1948년 봄 또 다른 검증. 나는 경제위원회의 재건 도시 계획 및 공공 부문에서 주택임대료에 대한 새로운 법률이 논의되고 있는 회의에 참석했다. 주택의 높이가 화제가 되었다. 나는 팔을 들어 인간의 키를 기준으로 한 높이와 2배의 사용을 옹호하였다. 우리가 모인 것은 빨레-로얄Palais-Royal이며, '그 작은 아파트'(18세기 말과 19세기 초 왕정복고 시대에 건립됨)가 있는 층이었다. 여기의 크기는 작은 주거로는 충분한 것이었다 왜냐하면 우리가 모여 있는 밖에서도 그 치수가 우리에게 충분했기 때문이다. 나는 줄자를 꺼냈다. 그리고 천장과 마루 사이의 공간을 측정해보았다. 우리의 의장 M. 까꼬M. Caquot 씨가 내가 제안한 수치와 방의 실제 높이가 정확히 일치한다는 사실을 확인해줬다.

우리의 화물선으로 돌아와보자. 배가 심하게 흔들리고 있는 사이에, 나는 숫자 스케일을 만들었다.

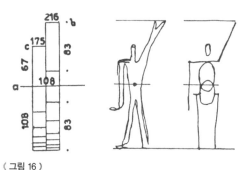

《 그림 16 》

이 숫자들은 인간의 신체가 점유하는 공간의 결정적인 지점을 보여준다. 《그림 16》 따라서 이 숫자들은 인간 중심적이었다.

이 숫자들은 수학에서 특별한 또는 특권적인 지위를 차지하고 있을까?

단위　　　　　　A (=108)

이중단위　　　　B (=216)

A의 Φ 관계＝C (=175)

　　　　　　　　　(108+67)

B의 Φ 관계＝D (=83)

　　　　　　　　　(148+83)

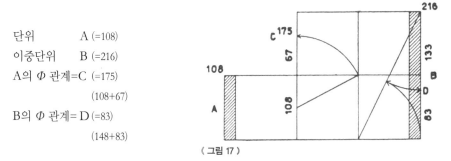

《 그림 17 》

따라서 우리는 이 규칙이 인간의 신체에 따라서 점유되는 핵심 지점을 정확하게 지시해주고, 또 주어진 한 값의 가장 단순하고 기본적인 수학 급수, 즉 단위, 이중단위, 2개의 황금분할, 추가 또는 삭제를 나타내고 있다.

이제 우리는 이웃한 2개의 정사각형 속에 직각의 위치에서 세 번째 정사각형을 단순히

47

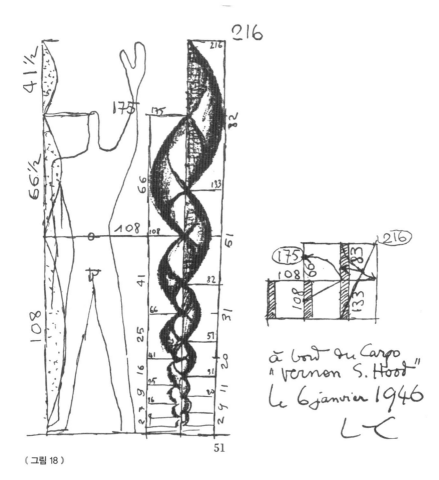

à bord du Cargo
"Vernon S. Hood"
Le 6 janvier 1946
L-C

(그림 18)

삽입시킬 때보다 훨씬 강력하고 진전된 입장을 가질 수 있었다. 2개의 결론을 하나의 그림으로 정리해보면, 매우 아름다운 그림을 얻을 수 있었다. 나는 처음 단위 108로 기초한 Φ의 비례로 만들어진 피보나치 계열을 빨간색 계열이라 하고, 이중단위의 216을 기초로 하여 만들어진 것을 다시 파랑색 계열이라고 불렀다. 나는 키 1.75m의 인간을 그리고, 그것을 4개의 숫자, 0, 108, 175, 216에 맞췄다. 그때 빨간색 계열을 왼쪽에 다시 파랑색 계열을 오른쪽에 넣고, 0 이하로 내려가는 계열과 무한대로 올라가는 Φ계열을 만들었다.

1946년 1월 10일 뉴욕에 도착한 나는 전쟁 중에 리버티-쉽의 건조로 이름을 떨친 유명한 건축가 카이저Kaiser 씨와 회견하게 됐다. 그의 새로운 계획은 미국 내에서 하루에 1만 호 주택 건설에 있었다. …… "그러나 나는 계획을 바꾸었습니다. 나는 자동차를 만들려고 생각합니다!"라고 내게 말했다. 그를 방문한 이유 등에 대해서는 이 책에 자세히 언급되어 있다. 잠시 계산을 접어두고 경제학과 사회학을 이야기해보도록 하자.

미국은 이 천재 사업가이며 뛰어난 실업가인 카이저 씨에게 연간 300만 가구의 주택 건설을 완전하게 허가했다. 이 주택들은 대량 생산되며, 가족을 위한 것이다. 그들은 토지를 점유하고 거리를 따라서 지어지겠지만, 그 거리는 공간이 거의 없는 시가지가 아닌, 시골에 만들어지는 것이다. 도시는 교외로 엄청나게 뻗어나가 거대한 교외를 이루는 것이다. 그들을 묶기 위해서 획기적인 교통, 철도, 지하철, 전차, 버스 등을 마련해야 한다. 따라서 수많은 포장도로와 무수한 배관(수도, 가스, 전기, 전화 등) 건설을 포함하고 있다. 이 얼마나 무한한 활동인가! 이것이 가져올 부는 얼마인가! 그렇다고 생각지 않는가? 내가 생각하기에 이미 1935년에 관찰하고 분석한 바 있는 거대한 황무지, 미국의 파국적 사례의 하나이다. 아무도 카이저 씨의 귀에 대고 경고의 말을 할 권한이 없으며, 아무도 그의 활동을 멈추려 하지 않는다. 그 지칠 줄 모르는 에너지를 사회적·경제적 목적을 향하여 가게 할 아무런 기관도 없다. 그러나 6개월 동안의 숙고 끝에 카이저 씨는 주택을 건설하는 대신 자동차를 생산하기로 주저하지 않고 결정을 바꾸었다. 자동차는 교통에 사용되어 미국 도시의 자연스럽지 못한 현상을 참을 수 있도록 만들어주고 있다. 여기서 문제는 전혀 다르다. 즉, 자동차 자체의 저렴함과 효율성의 문제이다. 그러나 미국에서 벌어지는 경쟁은 극심하고 엄청나다. 새로운 자동차를 제작하려면 대중의 호감을 얻어 모든 경쟁자들을 물리쳐야 한다. 그리고 미국인들에게 자동차는 하나의 존경의 상징이며, 사회적 지위의 오르기 위한 첫 단계라고 할 수 있다. 따라서 대중의 취향에 아첨을 해야 한다. 그러기에 날씬한 유선형 차체, 어느 회사의 제품보다도 큼직한 모습, 웅장한 힘의 실현 등이 요구된다. 새로운 차는 화려하고 튼튼하지만, 너무 거창하다. 그 차는 크롬으로 도금된 거대한 물림 장치를 가진 힘의 신처럼 보이는 뚜껑과 앞부분을 가지고 있다. 미국에서 가로streets의 복잡함은 일반적으로 잘 알려진 사실이다. 차는 필요한 것보다 2배나 길다. 그래서 그 차는 커브를 틀 때 도로를 가로막는다. 마치 바닥에 누워 있는 게의 등껍질처럼 보이는 것이다. 효율성? 조례에 의해 금지된 속도, 강철도 도료도 휘발유도 2배의 소비. 우리는 여기에서도 인간적 스케일의 문제를 신중하게 생각하지 않을 수 없다. …… 주제를 벗어나지 말고 '모듈러'로 돌아가자.

나의 두 번째 방문은 녹스빌Knoxville에서 테네시 계곡Tennessee-Valley-Authority 건설공사의 소장 릴리엔탈Lilienthal 씨의 만남이었다. 루스벨트 대통령 지지 아래 테네시 강에 댐을 쌓고, 신도시들을 건설하고, 농업을 구제하려는 큰 계획을 실현하는 사람이다.

우리의 대화는 완전히 허물없는 느낌이었다. 나의 황금률은 조화에 있었고, 릴리엔탈 씨의 작업도 모두 조화에 쏠려 있었다. 가장 거대한 작업에 착수하면서, 가장 웅대한 계획들(수자원, 동력, 비료, 농업, 교통, 산업)을 통합함으로써 조화의 왕국을 건설하려는 생각으로 그의 얼굴은 기쁨과 함께 빛을 발하고 있었다. 그 성과는 경작지를 무서운 속도로 황무지로 만들어 버리는 침식의 손아귀로부터 프랑스 크기만한 토지가 구출되었다. 그리하여 승리감으로 넘치는 생명력이 구출된 땅을 다시 소유하여 현대적 조직의 위대한 종합을 실현했다. 이런 종류의 거대한 사업들이야말로 미국과 소련이 각기 자신의 힘을 과시하는 것이다.

그때 나는 뉴욕에서 예전 조수들 가운데 한 사람인 바흐만Wachsman을 만났는데, 그는 주택 사업에 대량 생산될 규격품들을 공급할 목적으로 '판넬 주식회사Paneel Corporation'를 설립하여 정력적으로 일하고 있었다. 우리 공통의 친구 월터 그로피우스Walter Gropius는 보스턴의 하버드 대학 건축과 강좌를 담당하고 있었지만, 그를 도와서 그의 사업에 진정한 건축의 가치를 부여해주고 있었다.

너무 늦게 도착한 관계로 나는 이 동료들의 작업에 참가할 수 없었다. 문제는 제출된 상태이다. 바흐만은 정사각형이라는 단일 모듈에 근거하여 서양 장기판 형태로 표준화하는 방법을 채택했다. 일본인이 수세기에 걸쳐 더욱 미묘한 계수에 맞추어서 그들의 훌륭한 목조 주택을 만드는 데 사용된 근거는 밀집(다다미[7])이다.

나는 가능하다면 대량 생산에 따른 가옥 건축법과, 우리의 조화로운 규칙이 제공할 수 있는 무한한 다양성을 미국에 소개하고 싶었던 것이다.

2월에 파리로 돌아와 우연한 일로 소련 사람에게 우리가 발견한 척도의 존재를 알릴 기회가 있었다. 지금까지 후속 소식은 없다. 세브르 가의 사무실에서 나는 '베르농 S. 후드호'에서 작성된 것을 프레베랄Préval에게 정리하도록 지시했다. 황금률에 주어질 이름이 필요했다. 말로 나타낼 필요에 의해 이 황금 척도에 어떻게든 이름을 붙일 필요가 있었다. 여러 말 중에서 '모듈러MODULOR'가 선정됐다. 동시에 그 상표의 라벨도 결정되고, 그림 자체에 발명의 유래가 말해지고 있었다.

이번에는 정의를 내리기가 간단했다. 즉, '모듈러'는 인체 치수와 수학에서 출생한 치수를 재는 도구이다. 팔을 올린 사람이 공간을 제한하는 결정점을 준다. 다리, 배꼽, 머리 위에 올린 손의 손가락 끝 사이에 3개의 간격을 제공해주며, 그 간격들은 피보나치 계열이라

---

[7] 다다미는 길이가 한 칸(間), 너비가 반 칸이다.
　　칸은 지방에 따라 다르며 교토 칸은 지방의 칸으로 1.97m이다. 도쿄 칸은 1.82m, 그것은 천황이 도쿄에 들어와 살기 시작할 때부터 일반적으로 사용됐다. 오늘날 그것은 전통 가옥의 유일한 측정 단위이다. 다른 경우에는 미터법이 쓰인다.

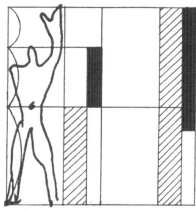

（그림 19）

는 황금 비율을 포함한다. 한편 수학적으로 원래의 것이 가장 간단하고 가장 강력한 변화를 주고 있다. 그것은 단위, 이중단위, 황금분할이다.

'모듈러'를 사용해서 얻어진 조합들은 무한하다는 것이 인정되었다. 프레베랄은 전시할 일련의 판넬을 준비하는 것을 맡게 됐다. 이렇게 생긴 아름다운 결과는 수의 자연스러운 선물(수학이 연출하는 장엄한 운동)이었다.

다음으로 우리는 현재 사용되고 있는 다른 측정법들과 좀 더 밀접한 관계를 맺을 수 있도록 우리의 숫자들을 '매끈하게 하라(끝수를 정리)'는 요청을 받았다. 우리에게 가해진 비판은 이러한 것이었다. 즉, 첫 번째 띠(솔탕이 제작한)에 나타나는 숫자들과 첫 번째 수치표에 나타나는 숫자들이 미터법에 기초를 두고 있기에, 예를 들면 배꼽에 대한 1,080mm 등은 피트-인치법과 실제로 타협할 수 없을 것이다. 하지만 모듈러는 언젠가 모든 국가에서 생산되는 물품에 대한 통합적인 측정 수단이 될 것이다. 그러므로 피트-인치법에 따른 전체 가치를 찾는 것이 필요했다.

나는 결코 빨강 파랑 계열의 어떤 숫자들을 매끈하게 해야 한다고 생각을 해본 적이 없었다. 그 해결책을 찾기 위하여 함께 작업에 몰두하고 있었던 동료 피Py 씨가 어느 날 "지금의 모듈러 값들은 1.75m의 인간의 키를 기본으로 하고 있지만, 이것은 프랑스 사람의 체격입니다. 영국 탐정 소설 등에 나오는 경찰관처럼 멋진 사람은 항상 6피트이지 않습니까?"라고 말했다. 우리는 이 표준치를 적용해보았다. 6피트=6×30.48=182.88cm. 즐겁게 새로운 6피트의 사람을 바탕으로 한 모듈러의 눈금은 우리의 눈앞에서 피트-인치 체계의 우수리 없는 숫자들로 바뀌었다.

인체의 치수는 황금율의 법칙에 따른다는 것이 특히 르네상스 시대부터 증명되어 왔다. 앵글로색슨 족 사람들이 길이의 척도를 사용했을 때 피트와 인치의 상관관계를 결정했지만, 피트-인치도 은근히 인체 치수에 관계하여 있었던 것이다. 그리하여 6피트(182.88cm)를 사람의 신체에 기초한 새로운 모듈러를 우수리 없는 숫자들로 변환시키는 작업에 몰두했다. 우리는 전율감 마저 느꼈다. 솔탕은 새로운 눈금을 매긴 띠를 만들어서, 이전 것을 대신해 알루미늄 작은 상자에 넣어 내 주머니에 넣었다.

미터	사용 단위	피트-인치	사용 단위
101.9mm	102mm	4.012"	4"
126.02	126	4.960"	5"
164.9	165	6.492"	6½"
203.8	204	8.024"	8"
266.8	267	10.504"	10½"
329.8	330	12.98"	15"
431.7	432	16.997"	17"
533.9	534	21.008"	21"
698.5	699	27.502"	27½"
863.4	860	33.994"	34"
계속해서…		계속해서…	

이 장애를 극복하자 뜻밖의 용기가 솟았는데, 모듈러는 미터 사용자와 피트-인치 사용자 사이의 혼란스러운 차이점을 자동적으로 해결해줬다. 이 차이점은 상당히 심각한 것으로 두 체계를 각각 사용하는 기술자와 제조업자 사이에 큰 차이를 만들어내고 있다.[8] 한 체계에서 다른 체계로의 계산을 전환하는 것은 너무도 미묘하고 낭비적인 것이어서 때로는

---

[8] 이스트(East River) 강변에 새로 건축물의 도면을 그릴 때 나는 1947년 뉴욕 유엔 본부 사무실에서, 그것으로부터 순교자가 느끼는 고통을 느꼈다. 성가시고 실망시키는 결과로부터 고통을 받지 않은 사람은 여기서 상기되는 상황의 중요성을 인식하지 못한다.

언어의 장벽보다 더욱 두텁게 느껴질 정도이다.

모듈러는 미터를 피트-인치로 자동 전환한다. 사실 모듈러는 파리 근교 브르테이유 저택Pavillion du Breteuil의 한 우물 바닥에 있는 금속의 길이에 불과한 미터가 아니라 십진법과 피트-인치법을 지원자로 삼고 있다.[9] 그리고 모듈러는 십진법을 다시 써서 복잡하고 무모한 가감승제의 숫자놀이로부터 피트-인치 체계를 해방시켜준다.

"영의 이용과 위치에 의한 계산법에 대해 어떻게 감사해야 할까. 만일 그것이 없었더라면 수학은 그리스의 번데기Greek chrysalis 상태에서 벗어날 수 없었을 것이다. 단순히 수학적인 장치뿐만 아니라, 오늘날 강대국들이 그 권력의 토대로 삼고 있는 모든 기술도 그 행복한 영향력 때문 아니겠는가?"[10]

1946년 5월 1일, 나는 프랑스 정부의 지명을 받고 미국에 위치한 유엔 본부 건설에 즈음하여 유엔에서 근대 건축을 변호하기 위해 뉴욕행 비행기를 탔다. 프린스턴에서 나는 아인슈타인Albert Einstein 교수와 모듈러에 대해 꽤 오래 이야기를 하는 행운을 가졌다. 그 당시 나는 매우 자신감을 잃고 번민하던 때였다. 잘 납득되지도 않으며 잘 설명할 수도 없었다. 나는 '인과 관계'의 곤경에 빠져서 허둥댔다. …… 그런 와중에 아인슈타인은 연필을 잡고 계산하기 시작했다. 어리석게도 나는 그를 제지하고 화제를 돌렸다. 계산은 끝나지 않은 채로 남아 있었다. 나를 그에게 데리고 갔던 친구는 몹시 실망한 표정이었다. 그날 밤 아인슈타인은 친절하게도 모듈러에 대해, "악을 어렵게 하고 선을 쉽게 만들어내는 것이 바로 비례라는 척도입니다."라는 내용의 편지를 보내주었다. 어떤 사람은 이것을 과학적인 평가가 아니라고 생각할지 모른다. 그러나 내 입장에서는 이 판정이 매우 명석하다고 생각한다. 그것은 학자가 아닌 전쟁의 군인인 우리들에게 보내는 대과학자의 우정의 표시이다. 그의

[9] 첨삭 : 미터법의 절대적 가치는 오늘날 특수한 색깔의 파장에 따라 대체된다.

[10] Francois Le Lionnais : 수학적 미(La Beaute en Mathematiques), Cahiers du Sad, 1948.

말은 "이것은 정확히 명중하는 무기입니다. 치수를 취할 때, 즉 비례를 결정할 때, 그것은 여러분의 일을 더욱 확실하게 해줄 수 있습니다."였다.

브로드웨이에 있는 무죠Mougeot의 고문 기술자 사무실에서 나는 그에게 '모듈러'를 설명했다. 그는 파리의 C.O.E.Committee of Economic Organization(경제 조직 위원회)의 설립자이며, 미국에 공장 관리 지부를 설치하고 있었다. "어떻게 프랑스 사람인 당신이 미국에서 업체를 조직하는 것이 가능하였습니까?", "물론 가능합니다.", "여기를 황무지처럼 생각해서는 안 됩니다.", "좋습니다. 날마다 배워야 할 새로운 것이 있게 마련이니까요." 잠시 후, 그는 이렇게 말했다. "나는 하루 종일 당신의 '모듈러'를 가지고 계산을 한 적이 있습니다. 오늘날 가장 작은 측정치 1mm의 12,000분의 1과 지구의 둘레 사이에서 모듈러는 다만 270개의 간격만을 헤아릴 수 있다는 사실을 알고 있는지요?" 다시 그는 다음과 같이 덧붙였다. "그 '모듈러'는 건축에 적용된 것과 똑같은 방법으로 기계학에 적용되어야만 합니다. 왜냐하면 기계는 인간에 따라서 작동되며, 사용자의 움직임에 전적으로 따르고 있으므로 기계도 인간의 스케일에 맞게 제작되어야 하는 것입니다. 기계학에서는 점유된 공간과 유용한 공간의 최적치수를 결정하는 작업이 필요한데, 이 치수는 각종 기계의 실제적인 돛, 선체, 덮개 등을 지시해줍니다." 무죠 씨의 이 결론은 중요하다.

…… 나는 뉴욕의 쿠퍼 유니온Cooper Union 박물관을 견학했다. 그곳은 건축과 장식 예술 교육도 동시에 하고 있었다. 가구 전시실에서 나는 그로테스크[11]와 완전한 비례로 장식된 루이 15세 전시실 앞에서 발걸음을 멈췄다. 나는 주머니에서 알루미늄 상자를 꺼내 측정해보니, 천장 높이가 정확히 2.16m, 굴뚝 기타 세부 사항도 마찬가지로 수의 일치를 보여주었다. 나와 함께 온 친구는 이렇게 말했다. "이것은 프랑스 목수가 만든 것이다. 왜냐하

---

[11] 그로테스크라는 말은 예술사에서 잘못 사용됐다. 기원은 돌, 동굴이 르네상스 시대에는 그로테스크(grottesque)라는 말로 사용되었는데, 거기서 (t)를 하나 제거하면서 다른 의미가 부여되었으며, 지금은 그것을 다른 데에 적용하고 있다.

면 나는 지금 1.75m의 신장으로 만든 첫째 띠를 사용하여 측정했다." 안내문에는 '샹틸리 Chantilly 성에서 유래된 셍제리singerie[12]'라고 쓰여 있다.

어느 날 저녁 앙드레 쟈울André Jaoul 씨는 나를 뉴욕의 찰스 하디Charles Hardy 기업의 존 데일John Dale 사장과 함께 식사하는 자리에 초대해줬다. 존 데일은 훗날 모듈러를 컴퍼스와 나란히 제도판 위에 놓여질 기구가 되게 할 인물이었다. 나는 그에게 모듈러의 원리를 설명해줬다. 존 데일 씨는 이렇게 대답했다. "나는 잘 알 수 있습니다. 그 이유를 말해주고 싶습니다. 내가 저녁에 집에서 첼로를 연주하는데, 현을 오가는 내 손가락들도 역시 인간의 척도에 따라 수학적인 움직임을 수행하고 있습니다."

모듈러는 인간 스케일과 수학의 조합에서 할 수 있는 측정 방법이다. 그것은 빨강과 파랑 양 계열로 이루어져 있다. 만일 그것이 전부라면 단순한 숫자표로도 같은 목적을 달성할 수 있지 않겠는가? 그러나 그렇지 않다. 바로 이 점이 내가 발명의 본질에 깔린 생각들을 거듭해서 풀이해야 할 이유이다. 미터는 구체적 존재가 없는 단순한 숫자에 불과하다. 센티미터, 미터, 데시미터는 다만 십진법 체계에서의 호칭일 뿐이다. 밀리미터에 대해서는 나중에 한마디 할 계획이다. 모듈러 수치는 척도이다. 따라서 그 수들은 그 자체가 사실들이며 구체적 몸체를 갖는다는 뜻이다. 이들 측정 단위는 수와 관련되어 있으며, 따라서 수의 특질들을 갖고 있다. 그러나 이들 수가 그 치수를 결정해야 할 제조품들에 인간을 포함하는 것이거나 또는 인간을 확장시키는 것이다.[13] 제일 좋은 치수가 뽑히기 위해서는 머리로 생각만 하기보다 손으로 만져보아야 한다. 결국 모듈러의 띠는 제도판 위에서 컴퍼스와 나란히 자리를 잡고 있어야 한다. 그리하여 그 띠는 사용자에게 구체적 선택을 할 수 있게 해준다. 건축(나는 실제로 구성을 갖춘 모든 대상을 이 용어로 가리킨다.)은 정신과 두뇌는 물론 물질의 문제, 신체의 문제가 되어야

---

[12] 원숭이와 소용돌이 문양으로 만들어진 루이 15세 때 유행한 장식용어를 말한다.

[13] 기계 또는 가구. 신문은 인간 행동의 연장이다.

한다.

모듈러의 법칙은 발견됐다 하더라도, 우리는 그 사용법과 구체적 형태를 명확히 해야 한다. 존 데일은 뉴욕 건축가 스타모 파파다키Stamo Papadaki에게 이 연구의 기술적 방향을 맡겼다. 모듈러는 과연 어떠한 물질 형태로 나타나게 될 것인가? 그리고 어떤 사업에 적용될 것인가?

형태The form : 그것은 첫째 2.26m(B9인치) 길이 금속 또는 합성수지 띠이다. 둘째 적당한 조합을 나타내는 숫자 표, 여기에서 '적당한'이란 단어는 인간이 잡고 있는 범위에서 사용되는 척도를 의미한다. 그 한계는 시각 또는 촉각으로 실제로 인식할 수 있는 한계이다. 그래서 우리는 400m 이상은 파악하기 힘들다고 생각했다. 그리고 실제로 문제가 존재하지 않는 곳에서는 (비록 도시 계획의 경우라도) 장엄하지만 사실상 무용지물에 가까운 르네상스 시대 군사 도시와 같은 계획이 범한 실수를 피하고자 했다. 르네상스는 건축에 학구적 정신을 들여왔다. 그것은 모든 감각과 삶 자체의 외부에 존재하는 (즉, 모든 감각기관을 넘어서 있는) 무한히 '지성적인' 계획을 본질로 한다. 그러한 정신은 결과적으로 척박해지고 말며, 또한 수많은 별이나 정사각형 따위의 현란하고 주관적인 모양으로 건축을 제도판 위에 못 박음으로써 건축 자체를 죽이고 만다. 셋째 모듈러를 설명하는 것과 그로부터 나오는 여러 가지 조합과 결과를 포함하는 소책자이다.

미묘하고 흥미로운 조립은 기술자에게 정교한 도구를 동반하게 하는 아름다운 대상이다. 그때 2년간 존 데일은 미국에서 그 작업을 인수할 기업가를 계속 찾고 있었다. 미국 산업은 과거 제품을 계속 반복 생산하는 것만으로 향후 10년은 보장되어 있었다. 누구도 노력을 하려 시도하지 않는다. 그렇다면 세계는 재건을 준비하고 있는가? 세계 전역에 기술자들은 끝까지 '집을 짓는다'는 개념만을 붙들고 늘어질 것인가? 인류 복지를 위하여 거대한 한걸음을 내딛는 기회는 과연 존재하는가? 엄청난 전쟁, 재앙이나 인간 궁핍으로 부당 이득을 누린 자들은 자신들의 게으른 세상 밖으로 손가락 하나 움직이려 하지 않는다!

모듈러는 대규모로 쓰일 생산품들의 치수를 결정하는 데 있어 대규모로 적용할 때 그 가치를 발휘한다. 존 데일은 모듈러에 관해서 세계적으로 알릴 수 있는 잡지를 출판하여 자신의 작업을 완성시키고자 하였다. 그 주된 목적은 정보를 널리 확산시키는 것이지만, 모듈러 사용자들의 반응을 기록하는 역할도 목적의 한 부분이었다. 이 잡지는 지성인 집단의 원탁 토론과 같은 형태가 될 것이다.

1947년 1월 28일, 나는 뉴욕에서 유엔의 10명의 전문가 중 한 사람으로, 이스트 리버에 새로운 유엔 본부 건설 작업에 쓰일 설계도를 작성하기 시작했다. 그 방법을 아는 사람은 없지만 모듈러는 이미 이름을 얻고 있었다. 미국 디자이너 협회는 회의 중에 메트로폴리탄Metropolitan 박물관 내 계단식 교실에서 발표를 하도록 부탁했다. 그리고 수개월 후 따뜻한 환영연으로 보고타에서 친절하게 나를 맞이해준 콜롬비아 건축대학 학생들, 교수 및 교육부 장관도 모듈러를 매우 기대한다고 했다. 같은 해 9월, 같은 기대감(관심)은 영국 브리지워터에서 열린 제6회 C.I.A.M. 회의 때도 나타났다. 런던 잡지 《아키텍쳐 리뷰Architecture Review》는 모듈러의 기본 요소를 설명하고, 그 체계를 설명하는 그림으로 한 호를 발간했다. 마틸라 기카Matila Ghyka가 일부분 집필을 맡은 그 책에는 매일같이 스스로 자문하던 문제 "비록 지극히 제한된 영역에서라도 모듈러가 '수의 기적으로 들어서는 문'의 열쇠라고 할 때, 그 문은 그 영역에 존재할 가능성이 있는(실제로 존재하고 있기도 한) 수백, 수천 개의 기적의 문 가운데 다만 하나인 것인가, 아니면 발견되기를 기다리는 오직 하나의 문이 우리 앞에 열렸다는 것인가?"에 대한 해답이 나와 있는 것 같았다. 기카의 답변은 두 번째인 것으로 보였다. 이 책 끝 부분에 가서 다시 한 번 강조하듯이, 그 질문은 언제나 내 마음속에서 떠나지 않았다. 나는 만나는 사람마다 묻고 또 물었다. 어떤 답변을 듣든지 간에 나는 모듈러에 따라 제시된 결론을 의심하기 위해 직접적인 반응을 삼갔다. 그리하여 이성보다 감성에 근거한 내 자유는 변함없이 간직하였다.

1947년 7월에 미국에서 돌아온 나는 만 1년에 걸친 공백 끝에 내 손과 머리로 직접 '건축인들의 연구회Builders' Workshop'를 가까이에서 통제할 수 있는 기회를 갖게 됐다.(나는 그러한 통제의 가치에 대해 다음에 더 말하려 한다.) 마르세이유Marseilles, 생-디에Saint-Dié, 발리Bally 등의 세밀한 작업에서 모듈러가 건설가들과 디자이너들에게 사용되었던 관계로 나는 그 가치를 감상할 많은 기회를 가질 수 있었다. 내 반응은 너무나 확실한 것이어서 누구라도 스스로 판단을 할 수 있도록 독자들에게 자신 있게 맡길 수 있을 정도이다.

신장 6피트인 사람에 기초한 '모듈러'의 두 번째 판의 주제는 한마디 더 필요할 것 같다. 그 이유는 간단하다. '모듈러'의 도움으로 전 세계 규모로 제조된 물품들은 지구 여러 지역을 여행하면서 모든 종족과 여러 신장을 가진 사용자들의 자산이 될 것이다. 그러므로 제조된 물품들이 가장 신장이 큰 사람에게 사용될 수 있도록 최고 신장인 사람(6피트)을 채택하는 것은 적절한 조치이다. 해당 치수에 기초해서 제조된 물품이 모든 사람에게 알맞게 되기 위해서는 너무 작은 치수보다 큰 치수가 낫다고 할 수 있다.

1948년 8월, 이 책을 편집하는 중에 '모듈러'의 첫 번째 원리인 "2개의 정사각형 안에 직각의 위치라 불리는 위치에 세 번째 정사각형을 삽입시킨다."는 부분에 대해 다시 한 번 의문이 생겼다. 그래서 나는 일련의 그림들을 다시 추적하여 사선을 형성하는 두 점 m과 n에 대해 곰곰이 생각해보았다. 직각이 그려지는 원의 탄젠트는 역시 사선이다. 이 접선의 연장선과 사선 m-n의 연장선은 도형의 기선에서 만나 그들 사이에 처음 것과 유사한 일련의 작아지는 직삼각형들을 삽입시킬 수 있도록 해주고, 이것이 작아지는 계열 Φ(파이)와 피보나치의 결과를 확인해준다.《그림 21》

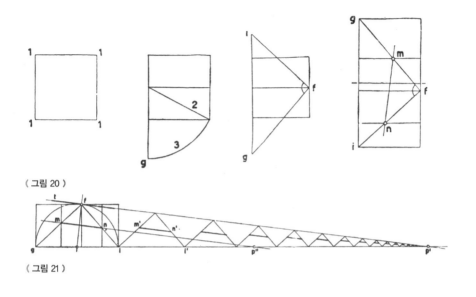

（ 그림 20 ）

（ 그림 21 ）

지금까지 밝혀진 요점을 정리하며 이 연대기적 설명은 끝내고자 한다. 독자들이 인내심의 한계를 느끼지 않을까 두려워진다.

1. 그리드는 3개의 척도 113, 70, 43(㎝)를 제공하고 이것이 Φ비율(황금비율)과 피보나치 조합 43+70=113 또는 113−70=43을 이룬다. 함께 더하면 그것은 113+70=183, 113+70+43=226이 된다.

2. 이 세 척도(113, 183, 226)는 신장 6피트인 인간이 차지하는 공간을 나타내고 있다.

3. 113의 척도는 황금분할 70을 제공하는데,[14] 여기서부터 빨강색 계열이라 불리는 새로운 수열이 시작된다. 새로운 수열은 4-6-10-16-27-43-70-113-183-296, ⋯ 등으로 이어진다. 단위 226(2×113)(배수)은 황금평균 140과 86을 제공하는데, 여기서부터 파랑색 계열이라 불리는 두 번째 수열이 시작된다. 13-20-33-53-86-140-226-366-592, ⋯.

4. 이들 측정 단위의 몇몇 값들은 인체 치수 시스템에 관련된 특징이라고 할 수 있다.

5. 마지막으로 중요한 것은 무한한 조합을 허용하는 현상, 즉 어떤 측정값들의 반복적인 출현이다. 이 점은 주로 '모듈러'의 적용에 할애된 이 책 2부의 여러 도판에서 독자들에게 제시될 것이다.

---

[14] 지금까지 사용되어 온 등록 상표는 그 그림으로부터 얻은 것이다. 지금까지 팔을 위로 올린 사람은 모듈러의 핵심적인 세 가지 값(네 가지 값이 아닌)을 확인해주고 있다.

   113 배꼽
   182 머리의 끝(113의 Φ(파이)의 관계)
   226 팔을 곧게 올린 사람의 손가락 끝

140-86인 제2Φ(파이) 관계는 인간의 형상의 4번째 핵심적인 점-팔 기대기를 도입해준다. 결국 왼팔을 쳐들고 오른손을 감춘 사람은 오른손을 편하게 지상 86cm 되는 지점이 되게 하고 있는 것이다. 이렇게 해서 인간의 신체가 점유하고 있는 공간의 4지점이 결정된다.

마틸라 기카(Matila Ghyka)가 그에 대한 글을 쓴 다음('자연과 예술에 나타난 비례의 미학', 1927) 20년이 지나고 나서, 모듈러의 빨강색 계열인 3원성과 파랑색 계열인 2원성을 위해서는 끝없는 이중적 현실로서 3원성(TRIAD)의 표현인 배꼽, 머리, 손가락 끝(오른팔), 그리고 2원성(DUALITY)의 표현인 배꼽과 손가락 끝으로 나타난다. '동물과 곤충의 몸도 역시 많은 비례 관계에 있어서 황금분할의 주제를 나타내주고 있다. 사람의 집게손가락처럼 말의 앞다리에서는 연속적으로 감소하는 3가지 계열의 수열이 나타난다. 이 3원성은 대단히 중요하다. 왜냐하면 그 최고항이 다른 두 항의 합계와 같기 때문이다. 그것은 미완성과 선험적으로 모순인 대칭적인 분할을 재도입한다. 이것이 건축에서 그의 관심이다.

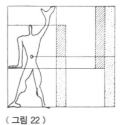

《 그림 22 》

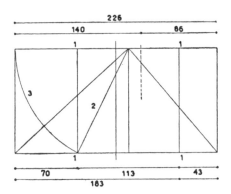

(그림 23)

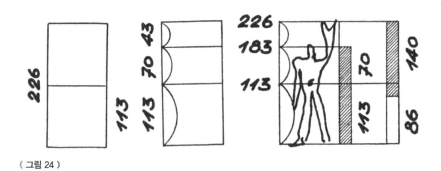

(그림 24)

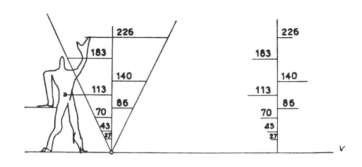

〈 그림 25 〉

다음과 같이 그릴 수 있다.

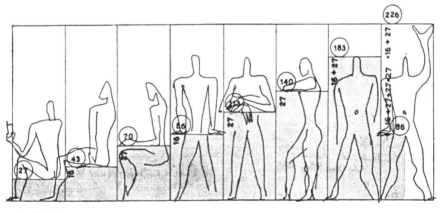

〈 그림 25 〉

63

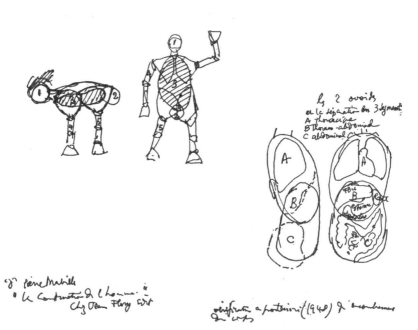

《 그림 27 》
인간 신체 기관이 움직이는 데 필요한 공간의 귀납적 증명(1948년), Dr. Pierre Mabille, '인간의 구조(La Conatruction de l'homme)'

3장 • 수학 Mathematics

기적의 문을 지나서……

수학은 인간이 우주를 이해하기 위해 세운 장엄한 창조물이다. 수학은 절대와 무한이 있으며, 이해할 수 있는 것인 동시에 영원히 알 수 없는 것이기도 하다. 벽이 가로막고 있고, 그 앞을 왕복하고도 아무런 성과도 얻지 못할 수도 있지만, 때로는 거기에 문이 있고, 열고 안으로 들어가면 다른 세계로, 그 곳은 신이 사는 곳, 위대한 학설의 열쇠가 있는 곳이다. 이 문은 기적의 문이다. 일단 문을 빠져 나가면 더 이상 사람의 일이 아니라, 그 사람이 접촉한 우주의 한 점이 작동하는 것이다. 이렇게 끝없는 조합을 가진 이상한 수의 조직이 전개되고 빛나는 것이다. 그는 수의 나라에 있다. 그는 평범한 사람일 수도 있다. 모든 것에 널리 퍼지는 현란한 빛에 사로잡힌 그를 그대로 내버려두자.

* * * * *

이 빛의 자극을 견디는 것은 어렵다. 젊은 사람들은 그들의 강점이자 약점이기도 한 그 열정과 책임의 무자각으로 눌러주지만, 주의하지 않으면 그들은 불확실함 속에 덮여버리게 된다. 지금 우리가 문제삼고 있는 것이 무엇인지 확실히 알고 있어야 한다. 우리가 요구하는 것은 측정 방법의 선택을 위한 정확한 도구이다. 일단 컴퍼스를 손에 잡고 숫자들의 고랑을 파들어갈 때 길이 나눠지기 시작하고, 사방으로 뚫리면서 …… 우리는 목표로 정했던 대상으로부터 방향을 바꾸어 멀리 나가는 것이다. 결국 숫자들이 움직이고 있는 것이다! 르네상스 시대 이론가들은 이 유혹의 길로 나아간다. 나는 항상 그들의 노력의 소산, 즉 그 시대나 그 다음 시대의 건축을 인식하고 싶지 않았다. 내가 그 노력의 결실에 동의하지 않는 이유를 나 자신도 설명할 수 없었다. 그들의 건축은 종이 위에 컴퍼스를 이용하여 별 모양으로 도안하였다. 고전 기하학자들은 20면체 12면체의 별 모양으로, 조형물에 관한 한 문제의 기본 전제인 눈에 보이는 세계로부터 탈피하여 철학적인 해석을 내리려고 했다. 그들의 체계는 시각적 인식의 매개체 외부에 세워졌다. 그리고 오늘날 그들의 작품을 감상하는 사람들은 시각적 표현 수단이 없다면 자신들의 디자인에서 완성시켰다고 주장하는 주관적 의도를 파악할 수 없는 것이다. 사람은 눈을 감을 때, 추상적 활동을 머릿속에서 진행할 수 있으므로 모든 가능성을 시도해보게 된다. 그의 눈(열이나 백, 천이 아니라 단지 두 개뿐인)은 머리 바로 앞, 자신의 얼굴 안에 위치하고 있다. 따라서 앞은 볼 수 있지만 옆이나 뒤는 볼 수 없다. 결국 철학자의 다면체가 무수한 조합으로부터 발산하는 황홀한 장면은 감상할 수가 없는 것이다. 건축은 눈으로 보고, 머리를 돌리고, 다리로 걸어가면서 판단된다. 건축은 동시적 현상이 아니고, 연속적인 것으로, 차례차례로 더해져 가는 경치를 시간과 공간 속에, 음악처럼 만들어진 것이다. 이것은 매우 중요하며 결정적이라고도 할 수 있다. 르네상스의 별 모양은 지적이고 절충적 구조를 나타내는데, 이것은 의도의 단면들 속에서만 보인다. 별 모양을 축으로 해서 동일한 단면이 반복되는 것이다.

인간의 눈은 다면체의 중심에 있는 파리의 눈이 아니라, 인간의 신체에 붙어 있고, 코의

좌우에 하나씩 평균 높이 지상 1.60m에 있다. 눈은 건축에서 감각을 느낄 수 있는 도구이다. 시력의 중심은 앞쪽에 위치하여 현실적으로 제한된 확실한 것에만 집중된다. 더욱이 물질적 형태 뒤에 감추어진 정신에 따라 더욱 심한 제약을 받으며, 따라서 감지할 수 있는 시간이 충분할 때만 측정하고 느끼며 해석할 수 있을 따름이다.

고전 르네상스의 인본주의자들로부터 2세기 경과한 뒤에, 페네롱Fenelon은 정확히 건축의 위기(즉, '고전'의 유혹, 쇠퇴에 대한 예고) 시기에 살았던 사람이다, 그는 "기하학의 사악한 매력과 마술을 조심하라."고 말하고 있다.

같은 문제는 음악에서 상대에게 충분히 전달할 수 있는 기호를 찾을 때에도 일어났다. 문제는 한 옥타브의 300개가 넘는 상이한 소리들로부터 어떻게 불과 몇 개의 소리로 구성되는 유용한 하나의 음계를 추출해내는가 하는 것이다. 독자들은 이 문제의 중요성을 명확히 인식해야 한다. 비록 영원하지는 못할망정 수천 년 동안 존재해 온 음악의 형태를 고정시키려는 것이 바로 우리의 작업인 것이다.[15]

… '음악은 은밀한 수학적 연습이다. 누구든 음악에 관련된 사람은 자신이 숫자 배열을 하고 있음을 알지 못하고 있다.'(라이프니츠Leibnitz)

… '건반으로 연주하는 사람은 자신이 대수를 다루고 있음을 모르고 있다.'(앙리 마르틴Henri Martin)

… '음악이 수학의 일부가 아니라, 반대로 과학이 음악의 일부이다. 왜냐하면 모든 비례를 포함한 소리를 내는 물체의 공명은 비례 위에 만들어진 것이기 때문이다.'

마지막에 라모Rameau가 말한 과장된 확언, 즉 음악을 지배하고 통치하고 있다는 것을 밝힌 것은 우리의 연구에 광명을 비춰주었다. 분명히 말하면, 조화이다. 조화가 모든 것을 지배하고 우리의 생활 주변을 규정한다는 것은, 지상에 '낙원'을 실현시키는 임무와 신적인

---

[15] 수학과 음악(*Les Mathematiques et la Musique*, by Henri Martin, Cahiers du Sad, 1948).

힘에 사는 인간의 직감적인 요구이며, 자발적이고 끈질긴 인간의 노력인 것이다. 동양 문명에서 낙원은 정원을 의미했다. 정원은 햇빛 아래서든 그림자 속에서든 가장 아름다운 꽃이 빛을 내고, 다양한 녹색으로 넘실되는 곳이다. 인간은 인간으로 (자신의 몸에 맞는 치수를 사용하여) 생각하고 행동할 수밖에 없고, 그로 인해 (세계의 숨결을 호흡하는 리듬 속에서) 우주에 일치하는 것이다 .

한편(인간)과 다른 편(우주) 사이의 운명의 조화, 동맹, 투쟁, 차이점과 공통점 속에서 우리의 이해력의 척도는 때로는 한편, 때로는 다른편의 동반자에 근거를 두고 있다. 국영 라디오방송국 스튜디오에 있는 빨간색 초침은 시계의 문자판에서 조금도 쉬지 못하고 끊임없이 움직이고 있다. 우리에게 '시간'을 알려주는 것이 아니라, 다만 똑딱 소리를 들려줄 따름이다. 반면 분침은 시간을 나타낸다. 환각이 오는 것 같은 초침에 비해 깊은 공간을 보여준다. 시침도 밤낮 교대로 오는 24시간의 하루, 그리고 성경 요한 계시록에 "약 반 시간 동안 하늘에서 침묵이 있었다."라고 쓰여 있지만, 우주의 시간으로부터 동떨어진 인간의 감각에서 볼 때는 너무나 바쁘게 움직여서 숨이 막힐 지경인 것이다.

초는 꾸준히 진행하는 시간의 흐름이다. 우리는 이를 통해 행동을 규정할 수 없다. (여기에서는 평소 우리의 것을 말하고 있지만, 가끔은 과학적이고 기계적인 일 등과 같이 엄격한 정확성에 따라야 한다. 우리가 우리에게 적합한 생활 설계를 해야 도처에 존재하고 곳곳에서 활동하고 있는 지상의 지옥으로부터 벗어날 수 있기 때문이다.)

이상과 같은 구별은 그만큼 어리석은 것은 아니다. 좋은 구도를 만들기 위해서는 그만큼 많은 것을 필요로 하지 않지만, 각각은 성격을, 강한 성격을 가져야 한다. 50개국에서 수만 단어를 쓰는데, 26개(알파벳)의 문자로 충분한 것이다.[16] 오늘날 우리의 지식으로 우주는 92개의 원소로 구성되어 있다. 수학은 모두 10개의 숫자로 완성되며, 음악은 7개 음표이다.

---

[16] Georges Sadoul.

1년 사계절과 12개월, 1일 24시간. 시간, 일, 월, 년을 사용하여 우리는 할 일의 계획을 세운다. 이 모든 것은 인간과 우주의 질서가 융합한 것이다. 질서는 바로 인생의 열쇠이다.

측정 도구가 어떻게 태어날 수 있었는지 우리의 목표로 돌아가 보자. 그림에 대해 말한다면, 작품의 외형을 묶는 곳의 규칙은 앞에서 언급한 대로 기준선에 따라 대상물, 즉 캔버스의 형태, 크기(높이와 폭과 네 모서리) 및 그 크기의 정도에 따라 대상물에 통일이 성취된다.

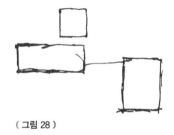

〈 그림 28 〉

건축물에 있어서 이 규칙은 내용물의 크기, 즉 인간의 크기와 관련을 맺게 된다. 눈은 '모든 예식의 주인'이고 영혼은 '집의 주인'인 것이 우리 인간이다.

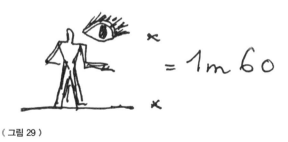

〈 그림 29 〉

건축물에 진정한 측정 방법을 도입해야 할 임무를 지닌 예식의 주인은 과연 무슨 일을

71

하는가? 할 수 있는 일과 해야만 하는 일은 무엇인가? 그는 집주인에게 다양한 시각적 기쁨을 제공할 수도 있는 요소들, 특히 눈과 관계된 요소들을 고려할 것이다.

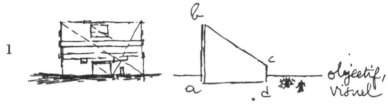

（ 그림 30-1 ）

1. 건물 입면의 기준선, 눈은 방금 전에 형태와 치수, 길이, 높이, 각 등에 의해 그림을 인식한 것과 같은 방법으로 이 파사드를 생각한다. 이 과정은 완벽하고 엄격하게 객관적이다.

（ 그림 30-2 ）

2. 한 풍경 속에 커다란 건물을 결합하는 건축적이고 도시 계획적인 구성. 이 법칙은 처음에는 뚜렷이 드러나지 않는다. 눈은 정면으로는 아무 것도 보지 못하기 때문이다. 건물들은 하나씩 겹쳐져 있고 땅은 멀리 사라져 보인다. 하지만 법칙은 주관적인 질서라기보다는 어느 정도 지성적 감각인 그 결과를 강요할 것이다.

〈 그림 30-3 〉

3. 이 세 번째의 경우, 세 가지 규격화된 요소들(규격기둥, 규격들보, 주야로 조명을 받는 규격 천정 등으로 이 모든 요소들은 각각 서로에 대하여 황금분할의 관계를 유지하고 있다.)로부터 건립된 무한 히 증가될 수 있는 박물관에는 측정 체계의 사용이 유기적인 통일감을 낳을 것이다.

〈 그림 30-4 〉

4. 마지막으로 《그림 30-4》의 4에서 마르세유 주거 단위의 내부 구조를 생각나게 하는 '모 듈러'라는 조화로운 측정 방법의 체계적 적용은 '조직적'으로 묘사될 가능성이 있는 단일 한 '집합 상태'를 창조한다. 모든 외부의 면, 내부의 공간, 바닥, 천장, 벽면, 그리고 모 든 부분에 있어서 나타나는 분할의 결정적인 영향력 따위는 측정 방법의 일관성에 따라 밀접하게 규제되고 있으며, 모든 양상 및 모든 감각이 서로 조화를 이루고 있다. 이러한 계획을 하고 나면, 안에서 밖으로 나가면서 3차원에서 모든 다양성과 모든 상이한 의도 를 완벽한 조화 속으로 통합하는 자연의 작업을 어딘가에서 느낄 수 있다.

일련의 다른 스케치들은 눈과 영혼 사이(예식의 주인과 내용의 주인)의 관계에 있어서 특질과 성격을 설명할 수 있다. 모듈러의 관점에서 생각하고 AFNOR(프랑스 규격 협회) 수열을 고려하여, 내 주장을 도해하여 안내해나가는 것이 좋을 것으로 보인다.

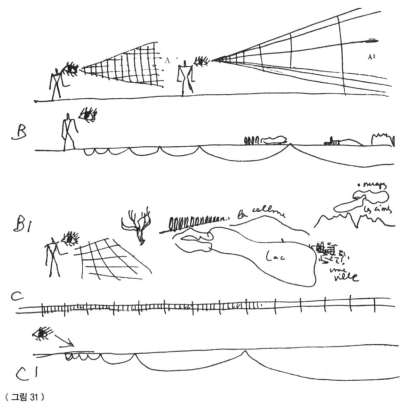

《 그림 31 》

(A) 사람의 시야를 나타내는데, 거기에 근거를 두어서 두께와 깊이에 있어 동등한 요소들(분명히 사실이 아닌 결과)이 보여진다.

(A1) 어느 정도 실제에 가까운 시각 원추형을 보여준다.

(B) 투시 가능성을 다양하고 조화로운 척도로 표현한다.

(B1) 포장도로, 나무, 숲, 호수, 도시, 언덕, 봉우리, 수평선, 구름 등을 통해 이 제안을 예시한다.

(C) 단순한 수치적 스케일(더하기)이 투시 양과 일치할 수 없다는 것을 입증한다.

(C1) 그러나 조화로운 스케일인 C1은 포장도로와 나무, 마을, 지평선의 봉우리들과 구름 따위를 이해하는 공통분모로 축소할 수 있다.

이 모든 비례와 측정에 관한 작업은 이익을 도외시 한 열정, 훈련, 놀이, 우려, 직무, 필요, 책임, 집념, 증거의 추구, 지위를 확보할 권리, 정직하고 공정하기 위한 의무, 정직과 선의, 깨끗한 상품 등의 결과이다.

그림에서부터 건축과 도시계획에 이르는 다양한 주제를 실습하고, 논리학과 시학, 그리고 심지어 연주에 연주를 거듭하여 완벽을 지향하려는 음악으로부터 발생하는 문제를 해결해나가면서, 마치 자신의 기록을 깨려고 훈련을 멈추지 않는 운동선수나 곡예사처럼 끊임없이 노력하는 가운데 5년, 10년, 15년, 20년, 30년이 가고 한 생애가 지나간다. 이것은 아침부터 점심, 저녁까지 자신에게 부과된 당연한 의무이기도 하다. "만약 당신이 위대한 기량을 갖고 있다면, 하찮은 것이라도 또 다른 것을 얻는 데 주저하지 말라." …… (잉그레Ingres 가 제자에게). …… 과학도, 방법도, 일을 하는 기술도 재능을 속박하거나, 명상을 방해한 적도 없다. 역으로 단순히 표현인 것이다. 예술은 그것을 하는 방법이다.

* * * * *

그러나 기적의 문 앞에서 어슬렁거려야 한다는 허세부리는 습관은 우리 동시대 사람들에게 인정되지 않는다. 왜냐하면 가벼운 바람에 흔들리는 잎의 속삭임은 예술의 가장 가벼운 포옹이라는 것을 인정하고, 발견하고, 지지하고, 그들로 하여금 시심poetry을 불러 일으키기 때문이다.

그리스식이나 고딕, 이집트나 인도든 간에 예술작품의 구석구석에 담겨 있는 진지하고 강력하며 엄격한 탐구 정신은 평론가들을 흥분하게 한다. 이처럼 예술에 대하여 매일같이 기록을 남기는 예언자, 아름다운 그림을 그린 화가를 찬양하는 노래를 부른다.

"…… 그는 가장 귀중한 숫자를 담고 있는 금기를 열기 위해 올바른 숫자를 찾아 헤매거나 확률이라는 희미한 계산을 하느라고 시간을 낭비하지 않는다. 그는 결코 금기를 깨뜨리지 않으며, 무엇이든 수학적인 계산과는 관계를 맺지 않는다. 대신 그는 단지 그림을 그린다. 단지 사랑 받기를 원하는 것들을 변형시키고자 스스로를 소모시키지도 않는다.……"[17]

[17] Gaston Poulain, May 1945.

무한한 수치

미터 체계로 표현된 값				피트-인치 체계로 표현된 값	
빨강색 체계 : RO		파랑색 체계 : BL		빨강색 체계 : RO	파랑색 체계 : BL
센치미터	미터	센치미터	미터	인치	인치
95,280.7	952.80				
58,886.7	588.86	117,773.5	1,177.73		
36,394.0	363.94	72,788.0	727.88		
22,492.7	224.92	44,985.5	449.85		
13,901.3	139.01	27,802.5	278.02		
8,591.4	85.91	17,182.9	171.83		
5,309.8	53.10	10,619.6	106.19		
3,281.6	32.81	6,563.3	65.63		
2,028.2	20.28	4,056.3	40.56		
1.253.5	12.53	2,506.9	25.07		
774.7	7.74	1,549.4	15.49	304 · 962″(305″)	609 · 931″(610″)
478.8	4.79	957.6	9.57	188 · 479″(188½″)	376 · 566″(377″)
295.9	2.96	591.8	5.92	116 · 491″(116½″)	232 · 984″(233″)
182.9	1.83	365.8	3.66	72 · 000″(72″)	143 · 994″(144″)
113.0	1.13	226.0	2.26	44 · 497″(44½″)	88 · 993″(89″)
69.8	0.70	139.7	1.40	27 · 499″(27½″)	55 · 000″(55″)
43-2	0.43	86.3	0.86	16 · 996″(17″)	33 · 992″(34″)
26.7	0.26	53.4	0.53	10 · 503″(10½″)	21 · 007″(21″)
16.5	0.16	33.0	0.33	6 · 495″(6½″)	12 · 983″(13')
10.2	0.10	20.4	0.20	4 · 011″(4″)	8 · 023″(8') .
6.3	0.06	12.6	0.12		
3.9	0.04	7.8	0.08		
2.4	0.02	4.8	0.04	인치 ·············· 2.539cm	
1.5	0.01	3.0	0.03	피트 ·············· 30.48cm	
0.9		1.8	0.01		
0.6		1.1			
계속		계속			

무한의 숫자상의 값 : 유일한 원천인 키 6피트인 사람의 배꼽까지 측정값 113에서 유래된다. 이는 다시 다음 주요 변수에 따라 변화된다.

　　　　이중단위

　　　　추가된 황금분할

　　　　감소된 황금분할

여기까지가 7년 동안의 이론적 검토와 실제 응용의 결과로, 1948년의 상황을 그대로 말해주고 있다. 초등학교 학생들이 5분 내에 모듈러를 조합할 수 있다. 이것은 '바보의 다리' 수수께끼(누구나 할 수 있는 일)보다 훨씬 쉽다.

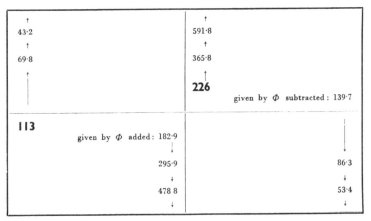

(그림 32)

각 수치는 모듈러의 각 스케일을 나타내고 있다.

이러한 스케일은 모듈러에 따라 주어진 숫자의 조합 출발점에 지나지 않는다. 사실 어

78

떤 두 스케일 사이에도 전체 같은 구분이 가능하다. 따라서 그것은 끝없는 조합을 가져오게 된다. 예를 들어 13,901과 8,591 사이는 5,309이지만, 그 사이는 3,281 2,028 1,253, 774 등으로 세분할 수 있다. 그래서 모든 치수의 최대부터 최소까지 그물망이 있는 직물이라고 할 수 있으며, 그것은 어디까지 가도 같은 값을 유지하고 있는 것이다.

빨강색 계열 RO 및 파랑색 계열 BL의 길이로 표현된 숫자를 각각 다른 평면으로 만들 수 있다. 그것은 사각형에서 길쭉한 직사각형 및 마침내 거의 단순한 직선과 동일한 형태로 발전하게 된다. 《그림 33》은 RO에 의한 그물을 《그림 34》는 BL에 의한 그물을 나타내는 것이다.

《그림 35》는 RO와 BL의 두 개의 망으로 짜여진 것이고, 《그림 36》은 전자의 교점만을 나타낸 것이다. 여기서 다시 황금률을 읽는다. 즉,

(a) 최초의 수(단위)

(b) 그 2배

(c) 그 황금분할

이 수치들은 인간의 신장으로부터 직접적으로 발산되는 값들에 따라 생성되는 길이, 표면적, 부피 등을 다루고 있다. RO 계열은 0에서 1.828m(72인치) 사이에 BL은 0에서 2.26m(89인치) 사이에서 끝난다. 이들은 부피에 따른 단위에서 정점을 이루는데, 그것은 측면이 각각 2.26미터씩인 입방체이다. 그리고 이것이 건축물에 관한 각종 사항들에 참작할 충분한 가치가 있을 것이다.

《그림 37》 오른쪽 상단 모서리에 있는 226 정사각형은 《그림 36》으로 전개된 현상을 작은 축척으로 나타내고 있다. 《그림 37》에 나타난 표면들의 각각은 다시 동일한 기원을 갖는 조화로운 배분 값들을 포함한다.

《그림 37》에서 보면 회색으로 된 직사각형들 때문에 크기와 비율 모두에 있어서 다양한 표면 요소가 이처럼 창조됐음을 환기할 수 있다. 마지막 남은 한 가지 시험을 해볼 수 있다.

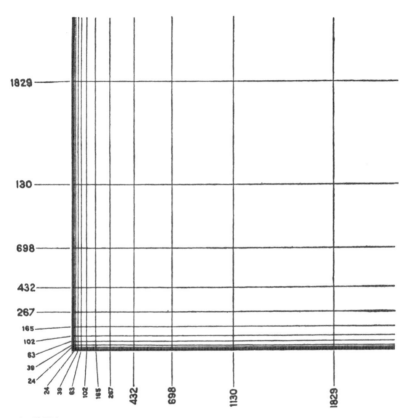

(그림 33)

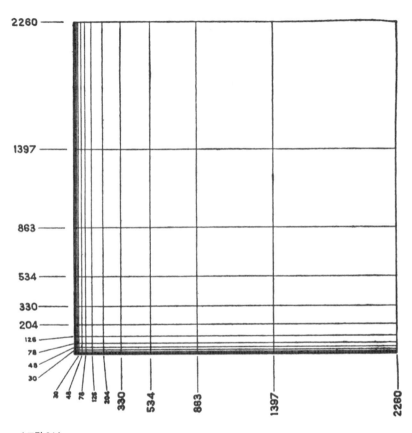

（ 그림 34 ）

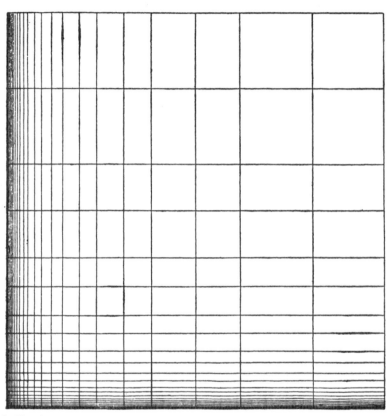

(그림 35)

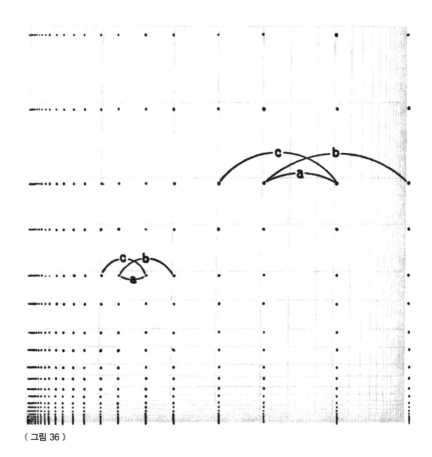

（ 그림 36 ）

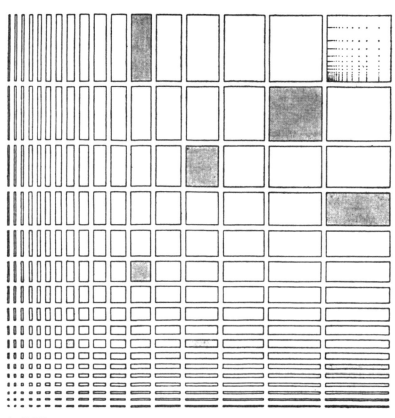

(그림 37)

《그림 37》에서 제공된 표면 요소들의 절반을(대각선으로) 잘라내도록 하자. 우리 위치를 정확히 알 수 있도록 이 요소들에 번호를 매기도록 한다.[18] 매우 다른 이 요소들을 몇 개 그룹으로 배열해보자.《그림 38》 그러면 찬란하고 풍성한 조합이 얻어진다. 이들 첫 번째 조합들은-그 다음도 마찬가지이지만-모두가 서로 조화를 이루고 있는 요소들로 구성되어 있으므로 그야말로 탁월한 것이다.

천재성과 좋은 취향만 있다면 그 조합들을 뜻대로 이용할 수 있을 것이며, 모든 기호와 감정을 만족하고 모든 이성적 요구도 충족할 수 있는 배열을 찾아낼 수 있을 것이다.

* * * * *

우리는 모듈러의 간단한 논증을 살펴보았다. 모듈러는 길이, 넓이, 부피를 관리한다. 항상 인간적 척도를 유지하고 끝없는 조합을 지배한다. 변화 속에 통일을 확보하고 평가할 수 없는 많은 이익과 수의 기적이 있다.

---

[18] 단순히 하기 위해 일련번호를 받을 수 없었던 너무 좁은 표면은 피했다.

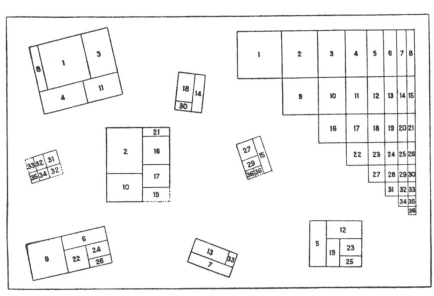

（그림 38）

《그림 39》'패널 놀이The Panel Exercise'라고 불리는 조합

예를 들어 정사각형을 하나 택해서, 이 안을 모듈러에 따라 분할하는 놀이이다. 이것은 끝이 없다. 또 어느 것이 가장 만족하는지 혹은 가장 아름다운 조합인지 판단하는 놀이이기도 하다.

《그림 40》또 하나의 '패널 놀이'

ⓐ는 하나의 정사각형 속을 모듈러에서 나타난 5개의 다른 패널로 나눈 것. 여기에는 16개의 조합을 보여줬다.

ⓑ는 하나의 정사각형 속을 모듈러에 따라 4개의 다른 패널로 나눈 것. 여기에 16조합을 보여줬다.

ⓒ는 하나의 정사각형 속을 모듈러에 따라 3개의 다른 패널로 나눈 것. 여기에 16조합을 보여줬다.

《그림 41》같은 놀이이지만, 처음 2.26m(89인치)의 정사각형을 다음의 형태를 바꾸어본다.

(a) 2.26m의 정사각형과 그 절반 1.13미터(44½인치) (그 조합은 밑에 그려졌다.)

(b) 정사각형 2.26미터와 그 황금분할인 1.397미터(55인치)

(c) 기본값 1.828미터(72인치)

(d) 기본값 2.26미터의 황금분할인 1.397미터(55인치)

(e) 기본값 1.13미터(44½인치)의 황금분할인 0.698미터(27½인치)

(f) 기본값 276미터(89인치)와 그 절반인 1.130미터(44½인치)

(g) 기본값 1.828미터(72인치)와 1.397미터(55인치)

(h) 기본값 1.113미터(44½인치)와 1.13미터(44½인치)

(i) 위의 이중으로 된 0.698미터(27½인치)의 황금분할은 0.698미터(27½인치)이다.

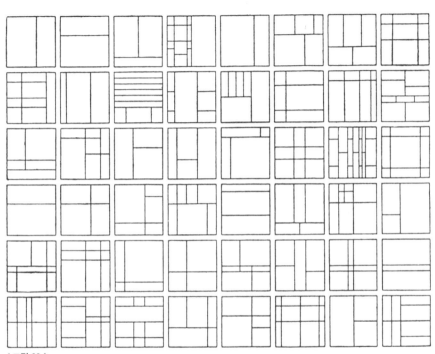

〈 그림 39 〉

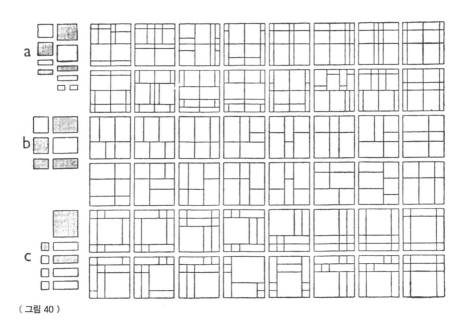

《 그림 40 》

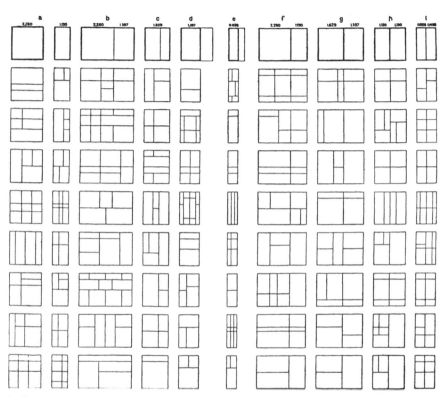

(그림 41)

90

놀랄 만한 풍부함을 가진 조화로운 조합이 전개되고, 한계가 없다. 그것은 선택, 요구, 실현 방법의 문제이며, 한마디로 문제의 전제가 될 따름이다.

* * * * *

'패널 놀이'는 이처럼 결점이 없고, 어떤 사람들에게는 무자비하다고까지 생각되기도 하는 기하학의 중심부에서 개성이 행동할 수 있는 완전한 자유를 나타내준다고 하는 만족스러운 효과를 지니고 있다. 해닝의 '패널 놀이'는 드 루즈이de Looze가 고안한 것(1944년 7월 18일)이나 프레베랄Préveral이 고안한 것에 비해서 그 나름 독특한 특징을 지니고 있다.[19] 이런 기록들은 개인의 탄력적 정서나 구성 참가자 각각의 심리, 생리학적 반응을 시험하는 자료로 사용될 수도 있다. 해닝, 드 루즈, 프레베랄은 세브르 가의 아틀리에에서 그림을 그리고 있는 사람들이지만, 같은 작업에 종사하고 있으면서도 다른 작품을 만들어내고 있었다.

드 루즈의 패널 조합에 대한 몇 가지 이야기를 덧붙여보자.

처음에 《그림 42》 A에서는 유리창 또는 목조 널빤지 등 건축에서 쓰이는 점점 커지는 5개의 평면을 채택했다. 그러자 (B)의 5개 구성 P^1, P^2, P^3, P^4 및 P^5와 2개의 넓은 띠 b^1, b^2를 사용하는 101개의 조합이 얻어졌다.

(관찰 : 점이 찍혀져 있는 패널은 채광창을 위해 사용할 수 있는 간격과 함께 205인치의 문을 표현한다.)

('모듈러'는 기본 체적이 2.26미터인 용기를 제공한다. 새로운 의견이 나올 때까지, 나는 지난 20여 년 이상 손쉬운 통행을 위하여 수많은 건물들에 사용해오고 있던 치수(문의 치수인 190부터 205까지)를 고수할 것이다. 이것은 미묘한 차이이며, '모듈러'의 개인적 견해인 동시에 개인적 해석이다. 그리고 그것은 모듈러가 부과하는 제약이며, 모듈러가 허용하는 자유인 것이다.)

---

[19] 그때 파리는 해방의 길로 향하는 대포가 울렸다. (해닝의 패널 구성에 대한 자료가 사라졌다.)

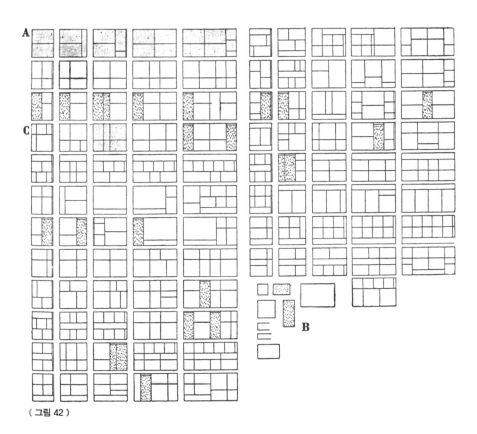

（ 그림 42 ）

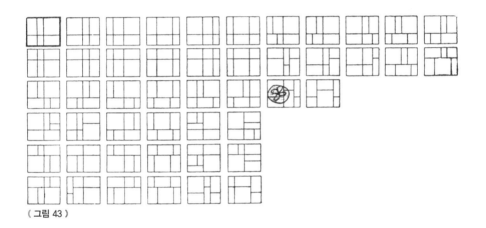

(그림 43)

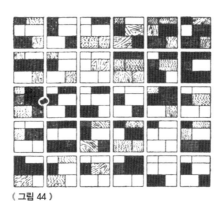

《 그림 44 》

그런데 여기에 101개 조합이 있다. 조합 수는 지면 제한에서 온 것으로, 결코 상상력의 한계 때문이 아니다.

이따금씩 '나머지'가 나오기도 하는데, 건축가에게 유용한 것으로 나타날 수도 있고, 혹은 건축가 의도에 따라 만들어질 수도 있는 것이다. 이들 나머지가 어떻게 보다 낮은 값들에 삽입되어 전체 속으로 통합될 수 있는가 하는 문제에 대한 해답이 위에 나타나 있다.

'기적의 문'을 넘어서 우리의 놀이를 계속하기로 하자. 그것은 바로 내가 수의 현란한 영광에 경의를 표하는 수단이 되는 시적인 상징물이다.

《그림 42》의 (C)를 101개의 조합 중 어느 하나로서 다루어보자. 그리고 이전과 같은 5가지 평면과 2가지 띠를 채용하고 다시 놀이를 전개한다. 이렇게 48개 조합《그림43》을 보여줬다. 이 모든 것은 건축가에게 조화롭고, 허용되고, 유용하다.

101개의 조합《그림 42》은 각각 48개 조합《그림43》을 낳는다. 즉, 4,848개의 조합이 구성된다. 그것은 기호에 따라, 계획에 따라, 환경에 따라, 적당한 것을 선택할 수 있다. ……

또 다른 조합을 생각해보자.

《그림 43》밖에 회색 원반을 붙인 조합을 취해보자. 이 구성에 5개의 다른 재료를 나눠주어본다. 새로운 30개의 편성《그림 44》이 지면을 채울 것이다.

* * * * *

여기서 놀이를 그만두자. 만약 '모듈러 놀이'를 할 생각이 있으면, 몇 시간, 몇 주라도, 몇 년이라도 즐겁게 보낼 수 있을 것이다. 1946년에 내가 모듈러의 서류철을 24시간 빌려준 무죠Mougeot 씨는 무척 더운 어느 날 뉴욕의 변두리 사무소에서 하루 종일 놀이에 빠졌다. 그리고 그는 "나는 아침 9시에 당신의 서류철을 열어 계산하고 그림을 그리기 시작했지요. 결국 오후 6시가 되어서야, 어느새 장난에 시간이 많이 지났음을 깨달았습니다!"라고 말했다.

2 부

실용성의 문제

4장 • 현대에 있어서 모듈러의 지위

우리의 목표를 잊지 말자.

세계 전역에서 생산의 흐름을 조화롭게 하는 것이 우리의 목표이다. 이 생산품들은 지금 세계적 규모로 조립되고 있는 중이다. 이것은 실로 인류의 역사에서 진행되고 있는 위대한 사건이다.

표준화하는 것은, 경제적 생산법의 대단한 발전이라고 할 수 있지만 편의적인 것에 빠지는 위험이 있다.

우리의 목표는 이 표준화에 이르는 지름길을 선택함은 물론 상호 간의 양보를 통한 표준화라는 치명적인 실수를 피하는 것이다.

그 계약은 경험이 입증하는 바와 마찬가지로 평범하고, 단조롭고, 품위의 결여 대신에 조화, 다양함, 우아함을 제공하기 위한 것이어야 한다는 조건이다.

그리고 또, 미터와 피트-인치와의 사이에 있는 화해할 수 없는 치수의 방해물을 없애는 것이다.

간결한 정리를 위하여 문제의 핵심을 포함하고 있는 다음의 세 가지 자료를 독자 여러분들에게 제공한다.

(1) 1944년 6월 21일, 파리, ASCORAL, 3b분과 : '표준화와 건설' : 작품에 상을 수여할 때 내용의 요약 구실을 하는 참석자들을 위한 주제 발표

(2) 1946년 1월, 뉴욕 : 카이저Kaiser 씨와의 회견

(3) 1946년 2월 14일, 파리 : ATBAT L-C를 위한 지침서

I

ASCORAL, 3b분과 : 표준화와 건설

(1944년 6월 21일)

〈주제 발표〉

법칙 A RULE

「**표준화**」; 법칙의 세계에 이르는 것. 법칙으로서 사용할 수 있는 원리를 찾아내는 것이다.

여기서 공권력이 개입하여, 사물들의 어떤 질서를 함축하고 있는 원리와 치수들을 채택한다. 이른바 그러한 선택이 이성과 정신의 법칙(가까이에 있는 물질에 근거를 둔 표현이나 정신적 결론)이 아니면서 다수의 의지에 굽힌다면, 그것이야말로 임의적이라 할 것이다.

건설은 거기에 사용되는 물질 중에 포함한 법칙의 득실을 살려, 제안된 목적을 가장 잘 실현할 수 있는 방법에 따라야 하는 것이다.

ASCORAL 제3부의 일은 법칙의 탐구에 있다.

앞서 '임의적'이라고 규정된 결정은 ASCORAL이 했던 것이다. 오히려 적어도 아무도 그대로 받지 않는 중재적 결정이 될 것이다. ASCORAL Assembly of Constructors for Architectural Revival(건축적 쇄신을 위한 건설자 집단)은 상당히 혼란스럽던 이 시기에 있어서[20] 중재자라고 생각할 수 있다. 유일한 중재자가 아닌 중재자의 한사람이 되는 것이다. 중재자라는 지위는

---

[20] 이 시기에 해방은 아직 이루어지지 않았다. 건축은 많은 고통을 주는 새로운 방법을 증오하고 민속적이고 수공업적 환상을 추구했다.

중재를 원하는 사람이면 누구나 차지할 수 있으며, 특별한 것으로부터 일반적인 것에 이르기까지 사고의 방식을 획득한 사람 누구나에게 허락되어 있다. 그래서 그것이면 충분하다!

목적 THE OBJECT

가정의 도구, 이것은 진정한 '주거의 과학' 협회를 야기한 주제이다.

(1) 주거, 문명의 초석

(2) 기계 문명 시대의 주거

- 계획 : (a) 독신자 :
          (b) 결혼부부 :
          (c) 다수의 가족 :
          (d) 여행자(호텔)

- 기능 :

- 가구와 도구 :

- 구성 요소 : (1) 평면
              (2) 단면
              (3) 벽면 계획

(3) 주거의 연장부

- 건물 내부
  - '공동시설', 가사를 위한 도구(주부의 부담을 경감시키기 위한 것 : 식품 공급, 가사 협조, 식사 준비)

- 건물 외부
  - 교통과 보행의 분리 :
  - 주거 인접 지역의 운동장 :

- 보충 단위(건강 진료소, 유아원, 초등학교 교실, 청소년 회관) :
- 태양, 공간, 수풀(정신 안정의 회복)

수단 THE MEANS : 산업화

산업화에 대비한 조처

(1) 건물 내부 조절(환기, 난방, 냉방)

(2) 시의 규제 : 토지에 관한 법규

(3) 사용이 가능한 기술(유리 벽면, 햇빛가리개brise-soleils, 필로티pilotis)

(4) 조립 : 대량 생산의 주택, 대량 생산의 요소

문명 A CIVILIZARION

건축가만이, 인간과 환경의 조화를 가져올 수 있다.(인간=생리적·심리적 존재 ; 환경=세계, 자연과 우주)

물리적 우주는 기술에 반영된다. 기술은 불변 불굴, 냉엄한 우주나 자연의 현상 속에서, 패자의 역할을 거부한 인간의 교묘함과 빈틈없음에 따른 정복의 결과이다. 선택은 자신이 돌보는 가축 무리 속에 파묻혀서 소일하는 목자의 생활을 하느냐(물론 좋은 점이 없는 것은 아니다.) 아니면 행동과 용기, 대담성, 발명, 직접적 참여 등을 통하여 기계 문명(단순하고, 강력한 조화를 가져다주는 기능을 갖추고 있는)에 동참하느냐 하는 둘 중의 하나이다. 재물은 얻을 수 있다. 그것은 현실적이고, 게다가 많다. 생산의 세계는 우리들을 기다리고 있다.

산업 문명의 현실은 풍부, 정확, 효율을 요구한다. 인간의 움직임, 기계의 사용, 조직의 효용(생산의 주기)이 회전을 재촉해, 물질적·정신적 식량을 얻을 수 있도록 한다.

하나의 문명은 그 자체의 감각, 이성, 교묘한 팔과 도구(기계)의 결과로서 완성된다.

표준화에 의해서, 법칙의 권위에 의해서, 모든 장애를 쓸어버려 없앨 수 있을 것이다.

그리고 역사의 영원한 과정인 '주거의 창조'는 윤리적이고 미학적인 인간이 발명한 생산물이고 독창적 산물로 창조된다. 중공업은 건축을 담당한다. 인간과 기계의 조화, 감정과 수학의 일치, 숫자로부터 얻어지는 놀라운 조화는 곧 비례 그리드의 회로이다. 이 주택 건설의 예술은 분별이 있는 사람들의 노력에 따라 얻어질 것이다. 그러나 그것은 이해나 태만이나 허영에 의해서 논쟁하고 공격받을 것이다. 그것은 도시 계획에 있어서 모든 작업의 핵심이며, 건축과 관련한 모든 문제의 가장 주요 법령에 따라서 공포되어야 한다. 도시의 규정은 개혁을 조절하고, 노력을 더욱 촉구하고, 앞으로 인도한다. 많은 확실함을 이 분야에서 거둘 수 있으며, 많은 진전이 이루어질 것이다!

───────────────────────────

이상이 1944년 6월에, ASCORAL 3부 b반의 작업 목적으로서 『표준화와 건설』이라고 하는 저서의 개요이다.

록펠러 센터에서 가진 카이저 씨와의 회견 내용

(뉴욕, 1946년 1월)

　　카이저 씨, 당신은 훈련과 조직의 결실로서 대단한 속도로 생산된 상선단인 리버티−쉽 선박들을 미국에 공급했습니다. 오늘날 국가의 당면하고 있는 심각한 주택 부족을 해결하기 위해 하루 생산 1만 호 건설을 계획하고 있으신지요. 이 조립식 주택들도 황폐화된 유럽을 향해 빠르게 움직이는 리버티−쉽에 실리겠군요.

　　당신은 조립식 방법을 사용하고 있습니다.

　'표준화야말로 완벽에 이르는 길입니다.

　'학술적인 것에 반대해서 계획과 치수에 독자성으로 통하는 새로운 건축 영역을 지배하기에 앞서서 우리는 오늘날 '인간의 축척'이라는 무기를 휘둘렀습니다.

　'이러한 새로운 관점은 모든 건축의 위대한 시대를 나타내주던 균형화$_{equation}$와 동시에 1928년에 우리가 주장했던 통일성을 다시 한 번 실현시킬 것입니다.

　　　　"집− 궁전.

　　　　궁전− 집."

　'이 말은 실용적인 기능을 모두 충족시키는 주택이라면 엄격한 실용주의의 차원을 넘어 궁전의 권위까지도 획득할 수 있다는 뜻이지요. 다시 말해서 궁전이라는 것은 평범한 주거지로서 단순한 삶의 조건에 근접해야 하고, 고상하면서도 수수하게 기능을 발휘해야 한다는 것입니다.

　'이 평등 관계에는 숨겨진 열쇠가 있는데, 그것이 바로 사물의 표면에 웃음을 가져다주는 힘입니다.

'전쟁은 스쳐간 자취마다 폐허만을 남겨두고 작년에 끝났습니다. 1914~1918년의 제1차 세계 대전은 여러 나라들을 폐허로 만들었습니다만, 그 재건은 규칙이나 법률도 없이 수행되었습니다. 이미 손상된 상태에서 적합한 사람과 기술을 발견하고, 건설 기술을 다시 깨우게 된 것은 정확히 1918년에서 1939년 사이의 평범한 시기였습니다. 1920년부터 1945년 사이에 끊임없는 재건운동으로 건설이 중공업에 편입되어야 한다는 주장이 제기되었으며, 그렇게 함으로서 건설 분야에, 도시계획에, 사회생활에 새로운 시기를 열 수 있었던 것입니다. 이 선각자들 제안은 낡은 유럽 세계에서도, 또 당신의 미합중국에서도, 권위와 예술과 미, 그리고 한걸음 더 나아가 나라를 위해 맹렬하게 싸웠던 것입니다.

'그러나 이 사상은 그 걸음을 계속하였고, 제1차 세계 대전(1914~1918년)은 이미 대량생산의 힘을 증명했습니다. 집을 양산하든가 그 부품을 양산할 필요가 생겼습니다. 이것이 곧 건축이나 도시 계획에 있어서 중심 과제가 되었습니다.

'향후 주택은 햇빛, 비 따위의 계절에 영향 받는 산업이 아니고, 현대의 조직적 작업에 따라 관리된 활동의 최종 생산품입니다. 결국 주택 내지 그 부품은 미리 만들어둘 수 있습니다.

'미리 만드는 것을 말할 때에 자동적으로 치수 결정이라는 것이 있어야 합니다. 카이저 씨, 여기에 문제의 핵심이 있습니다. 당신은 리버티선에 대해, 어떻게 치수를 결정하였습니까? 인간의 척도, …… 세계에 2개 척도, 피트-인치와 미터가 있고, 지구를 두 개로 분할해, 거의 타협할 수 없는 상태가 되어 있습니다. 그것이 꺼림칙한 장애가 되고 있습니다. 앵글로섹슨계가 사용하는 피트-인치는 십진법이 아니기 때문에 계산하는 데 상당히 번잡스러운데, 특히 공업 제품의 정밀한 것을 만들 때에는 더욱 그렇습니다. 세계의 다른 반은 미터에 지배되고 있습니다. 나는 미터(지구 자오선의 4,000만 분의 1)에 대해서, 이러한 구상으로부터 떨어져 매우 슬프고 또 위험하게도 인간의 척도로부터 분리해버린 것에 매우 화가 납니다. 미터와 피트-인치는 서로 경쟁자입니다. 생산된 물건은 대양을 넘어 이곳저곳으로 옮겨지게 되고, 그러한 만남과 공존은 매우 위험스러운 것입니다. 나는 전쟁이 한창이던 1940년 3월 14일, 프랑스 상원의 비밀 위원회에서 연설했던 원고를 가지고 있습니다. "영국과 프랑스, 양국 군대의 탄약과 장비를 동일한 규격으로 제조하여 한편의 탄약이 다른 편의 총에 맞을 수 있도록 하기 위한 노력이 실패한 사실에 유감을 표합니다. 우리는 영국이 아직도 십진법을 채용하지 않아서 생긴 곤란을 알고 있습니다." 전쟁 중 재난은 평화를 위한 노력이 결실을 맺은 시기의 재난과 같습니다. 생산되고 조립되는 전 세계의 상품은 공통된 척도를 필요로 합니다. 그리고 이 척도가 조화를 이룰 수 있는 것이어야 합니다.

카이저 씨, 이상은 내가 프랑스에서 뉴욕으로 와서 외무성의 임명으로, 미국에 건축 및 도시 계획 위원회 프랑스 측 위원으로서 파견된 자격으로 …… 이야기해야 했던 것입니다.

Ⅲ
ATBAT L.C.를 위한 지침서
(1946년 2월 14일)

(1) 인간 척도의 황금률('모듈러')은 기본형prototype 주택의 설계(균형이 이루어지는 크기의 주택 단위 Housing Unity of Proportional Size)를 위한 준비 작업에 적용되어야 한다.

(2) 건축 : (a) 길이
         (b) 바닥과 판, 칸막이와 천장
         (c) 높이
         (d) 부피

(3) 건축 : 집합주택의 집이나 방, 독립주택

(4) 부피 : 방들과 조그마한 집들

(5) 방들과 조그마한 집들(그 조합)

(6) 건축 : 판들: (a) 벽
           (b) 천장
           (c) 바닥

(7) 건축과 도시 계획

(8) 건축과 공학 기술(골조)

이 지침서는 기술자들을 위한 것으로, 사업 계획(1,500에서 2,500명을 살게 하는 큰 주거 단위)의 모든 결정적인 장소에 조화로운 치수법을 도입하여 얻어지는 장점들을 보여주고 있다.

25년 전(1922년)부터 준비되어 10회 이상의 작업을 거쳐 이루어진 이 계획은 현재 마르세유에서 진행 중인 공사로 그 결실을 보게 되는데, 가장 최선의 건축 기술이 사용되고 있다.

이처럼 거창하고 복잡하면서도 정밀한 건축 개체들이 단지 모두 15개 측정값, 모듈러 단위로 조절된다는 점을 강조하면서 결과를 기대하고 있다.

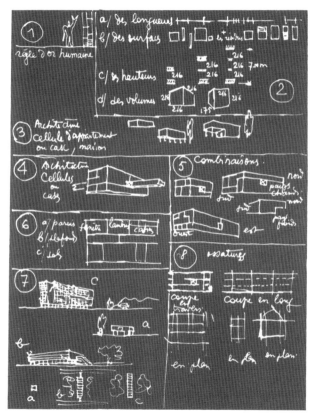

〈 그림 45 〉

시대의 과제 : 분배

특히 이 문제에 대해 중요한 결론이 도출된다. 그 문제는 '짐꾸리기', 영어로 하면 컨테이너containers이다. 이 영어는 전쟁 중에는 미군 병사의 식량을, 전후에는 미국제 식량을, 식제품의 포장용기들을 의미하는 말로 그대로 사용해도 괜찮다고 생각한다. 프랑스 국영 철도 회사의 간부는 프랑스, 알제리, 튀니지, 모로코에서 사용자들(농민과 이주민)에게 수송용 포장 방식을 과학적으로 결정하기 위해 특별히 설치된 프랑스 철도 종합 포장 연구소와 상담하도록 크게 선전하였다. 소아시아의 이즈미르에서 (나는 거기에서 최근 돌아왔다.) 무화과와 포도 말린 상자를 화물선에 싣고 있다. 이 문제는 또한 타자기와 무수한 인간의 조작에 의해 만들어진 물건들(책, 직물, 기계 등, 또한 이동 가능 형태의 여행자용 서류가방, 트렁크)의 발송 포장과 관련이 있다. 게다가 새로운 종류의 내용물containers인 트럭, 기차, 화물선이나 여객선의 여러 모양의 창고, 일종의 수송 비행기 (미래를 위한) 따위도 마찬가지다. 건축가나 기술자를 위해서 저장의 장소, 창고나 도크의 치수 따위, 이런 종류의 것은 끝없이 열거할 수 있을 것이다.

우리는 상호 연대된 관계의 시대에 살고 있지만 공교롭게도 그것은 감정의 연대가 아니라 경제적·기술적인 방법의 단순한 연대감만이 존재할 따름이다. 예컨대 어떤 도시에 중앙 시장이 있다는 것은 도시 계획의 상처와 같은 것이다. 소비자에게는 재난이며, 비생산적인 수송의 엄청난 낭비 원인이 된다. 1922년 이래 나는 '적당한 크기의 주거 단위'의 설정에 따라서 중앙 시장을 흡수하는 것을 제안해왔다. 그리고 20년간 끊임없이 제기하고 재검토하여, 많은 도시 계획에 포함함으로써 이 생각도 결정되어, 그러한 건설이 오늘날 마르세유에서 이루어지고 있다. 전 세계에 이러한 대규모 실험은 일찍이 시도되었던 적이 없다. 식료품 조합은 1,600여 주민에게 제공할 것이다. 식량은 직접 생산지로부터 오게 된다.

지난 20년 동안 이 생각은 단순한 꿈에 지나지 않았다. 1940~1944년 동안은 독일군의 점령 아래에 있었다. 만약 이 기간 동안 가족의 식량 공급이 본능적으로 조직되지 않았다면 파리는 굶주려 죽었을 것이다. 각 가정에 도달하는 소포의 버터, 소시지, 베이컨, 과일, 야채, 감자 따위는 밭에서 각 가정의 식량 선반에, 중간상인의 손을 거치지 않고 전달됐다. 이러한 폐쇄회로의 실용적인 가치는 그것이 실제로 작동됐다는 사실 그 자체로 이미 증명된 것이다. 이야기가 잠시 옆으로 빗나갔지만, 그것은 어디까지나 읽은 사람들의 이해를 돕기 위한 방편이다. 마르세유 계획이 인증되면 강렬한 반대를 위해 모인 이재민, 공산당원, 상·중류층 시민과 소지주의 분노로 거부된 생-디에Saint-Dié, 라 로셸La Rochelle, 생-고당Saint-Gaudens 계획은 언젠가 그 중요성이 인식될 것이다. 실현 가능성에 대해 의문이 생긴다면《라 프랑스 도트르메르La Fance d'Outremer》신문에 게재된 전면 광고를 읽어보십시오. '과학적으로 특수하게 설비된 프랑스 국영 철도의 일반 포장 실험……'

LA CHAINE *Nord-Africaine* DU FROID

（그림 46）

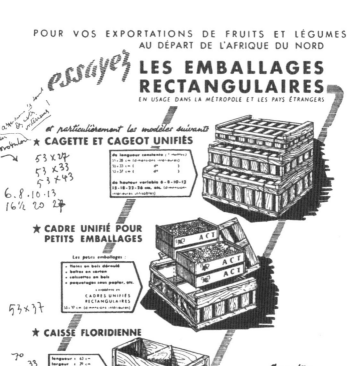

(그림 47)

숫자를 비교해보자.

프랑스 국영 철도의 광고에 따르면, 큰 바구니와 작은 바구니의 통일 치수(내부 치수)를 다음과 같이 제안하고 있다. 모듈러도 내부 치수보다 오히려 외부 크기를 똑같이 적재 가능하게 하기 위해 제안하지만, 이와 유사한 수치를 나타내고 있다.

프랑스 철도	'모듈러'
55×28cm	53×27cm
55×33cm	53×33cm
55×37cm	53×43cm

높이를 보면 :

6, 8, 10, 12, 15, 18, 22, 26, 등	6, 8, 10, 13, 16½, 20, 27

표준 틀frame

55×37cm(내부)	53×37cm

플로리다식 상자는

길이 63	70
너비 29	29
높이 28	28

모듈러 외부 치수는 간격 없이 적재할 수 있다. 위 숫자들은 결국 양 체계가 상호 이해의 기반 위에 있음을 나타내고 있다.

〈참고〉

　이러한 일들은 현실과 동떨어진 것으로 생각되기 쉬우므로 좀 더 현실적인 예를 들어보는 것도 의미 있을 것이다. 지난 3일 전부터 파르쥐Farge 법이 프랑스에서 시행되었다. 즉, 식품을 암시장에서 거래하는 행위는 이제 최고 사형에 처해질 수도 있게 됐다. 다모클레스의 칼sward of Damocles이 중개인, 정육점 주인, 채소 중개상, 식료품 장사 등의 머리 위에 매달려 있는 것이다.(이 글은 1948년 10월 중순에 쓰여졌다.) 이런 악덕 업자들의 투기는 식품이 협동조합에 딸려 위탁되고 주거 공동체에서 판매되기만 하면 단숨에 종식될 수 있다. 하지만 지나친 개인 이해관계가 개선되지 않은 태만함과 결합하여 방해 요소로 작용하고 있다. 마르세유 주거 공동체는 이미 지중해 하늘 아래 높이 솟아 있고, 식품 보급 외에 20가지가 넘는 공동 시설이 있고 주부들을 가사 노동에서 해방시키려 하고 있다. 그리고 또한 생각하지 않은 방향으로 진행된 기계 시대의 암흑 속에서도 삶의 기쁨으로 가정을 만들고, 아이를 양육할 수 있는 시설들을 가까이에 두게 된 것이다. 유토피아는 내일의 현실이고, 오늘의 현실은 어제의 유토피아임을 아는 것은 좋은 일이다. 1945년 해방과 함께 도시 재건 계획 담당국을 설립한 이후, 마르세유의 주거 공동체는 사회의 평온을 감상적으로 추구하던 지난 수년간 험한 바다에 그대로 방치되어 있었다. 마르세유의 주거 공동체는 10여 차례나 각기 다른 담당자를 거쳐 왔지만 언제나 건재했으며, 새로 임명되는 장관이 우파든, 중도파든, 좌파든 극좌파든 성향에 관계없이 승인을 받았던 것이다. 전 세계에 제출되고 있는 오늘날의 가장 중요한 문제 중 하나인 '사는 법을 아는 것'의 실현에 대하여 그같은 지속적인 지원은, 외국인들이 성급하고, 변덕스럽고 지속적이지도 못하다고 판단되는 한 나라(프랑스)에 명예를 높일 수 있다. 그와는 반대로 프랑스는 진지하고 안정된 나라이다. 단지 시대가 요청했던 조건만이 덧없이 지나가고 분해될 뿐이다. 계속 전임자의 뒤를 이어서, 때로는 위험한 민중의 난동에 대항해 마르세유 기업에 지원을 아끼지 않았던 7명의 장관들에게 경의를 표한다.

* * * * *

또 다른 '컨테이너'가 있는데, 그것은 인간 컨테이너라고 할 수 있는 비계scaffolding이다. '모듈러'는 선험적으로 이 문제의 일부, 즉 내부에서 비계 문제를, 방의 높이가 2.26m가 되어야 한다고 제안함으로써 해결하고 있다(226+33+226=485). 이 높이는 장소에 따라 두 배씩 증가할 수도 있다. 따라서 건물 내부에서 행하는 작업은 비계 없이도 가능하다. 이것은 상당히 중요한 사실이다.

V
국제적 협조와 평화

"인간과 민족 사이에 더 좋은 이해로 향하는 모든 생각과 노력, 세계 통일의 의식을 불러 일으키는 데 도움을 주는 모든 행위는 귀중한 기여이다. ……"

이 올바른 말은 1948년 6월 전쟁의 종식STOP-WAR No.2이라고 불리는 성명서의 일부이다.

1948년 8월에 우로클로 회의Wroclaw Congress가 평화의 신념을 선언하기 위해 열렸다. 나는 날마다 건축 작업에 묶여 있기 때문에 가지 않았다. 활동가로서 명성에 대해 나는 다음과 같이 선언했다.

나는 행동하는 활동가라고 인정받고 있었기에, 나의 현장, 나의 사무소, 나의 저작으로 부터 멀어지지 않고 있으려고 한다. 나의 직업인 건설에 관한 구상(자연과 우주의 법칙, 생물학, 기술과 세계의 물리적 법칙) 안에 머무는 것으로, 나는 정치적 정열로부터 멀어진 현실을 고집하고 있었다. 이렇게 위의 방침에 따라 ASCORAL은 1942년에 『인간의 세 가지 조직』[21]을 정리하여 1943년부터 인쇄하였는데(실제로 해방 후 완성되었지만), 그중 하나가 현대 여건에 기초한 유럽지도를 만든 것이다. 이 지도에는 선사 시대의 예언적인 길이 다시 발견되고 있지만, 그것은 인간이 아직 정치적 국경 속에서 질식되지 않았던 무렵에 지형과 지리에 그려진 것이다. 이것은 자연의 법칙에 따라 지배되는 조건과 장소의 조직에 따라 평화에 이르는 길을 열어놓고 있으며, 조만간 기계 문명 시대 제2기의 기초로 작용할 단 하나의 자명한 원리인 '생활의 기쁨'[22]에 따라 고려되고 교화되어야 할 요소인 것이다.

농업 개발 단위, 산업시설, 방사환상형 도시 건설 분야에 바람직한 치수를 소개하는 기

---

[21] 분과에 대한 책(Book of the Section : *Travail et Loisir*).

[22] 이 지도는 프랑스와 다른 나라의 압력으로부터 절대적 침묵으로 견디어 냈다. 이것은 현재 존재하고 갈등하는 몇몇 정치적 프로그램에 적합하지 않았다.

회를 탐구자에게 제공한다.

피트−인치는 과거의 아름다운 인간적 서사시를 표현한다. 미터는 프랑스 혁명 시대에 주장된 해방과 십진법의 보물을 가지고온다.

전신, 라디오, 비행기의 문명 안에서, 국가를 넘어 모두가 지나가고, 묶이고 다시 연결된다. 그 중심에 인간의 세 가지 조직인 먹고, 물건을 준비하고, 분배하는 것이 존재하고 있다. 이 세 가지가 바로 추진력이고, 연결고리이며, 대립을 배제하고 연속성을 만들어내는 주체이다.

질서정연한 측정 방법은 우리 시대의 질서이다.

(이 글은 1948년 10월 17일에 작성된 것이다.)

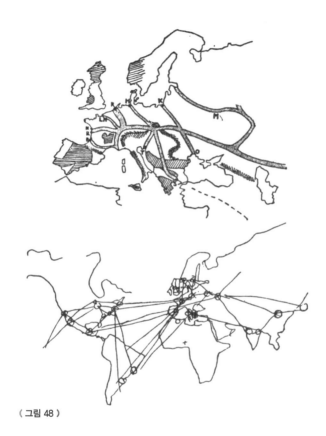

(그림 48)

5장 · 첫 번째 응용 예

나의 일,

건축과 회화는 벌써 30년 이상 수학의 기운 속에서 길러져 왔다. 음악도 언제나 내 안에 존재하고 있었다. (정확히 말하면, 학창 시절에 나는 수학에 관해서 고뇌와 혐오만을 불러일으키는 불쌍한 녀석이었다.) '모듈러'(처음에는 '비례 그리드'로 명명했다.)가 내 일 속에 받아들여졌지만 조금도 혁명적 성격을 보여주지 않았다. 그것은 다만 학문적 제약에 결코 속박되지 않으면서 무한한 질서의 현란한 광채를 바라보며 지속적이고 꾸밈없이 나아가는 인간에 경이를 나타낼 뿐이었다. 일이 진행됨에 따라 이 소박한 한 사람은 그의 일이 규칙에 따르고 있음을 알게 됐다. 그는 그 규칙을 인정하고 기쁨과 존경을 가지고 받아들였다. 그는 자신의 생각을 20명 제도자의 손과 머리를 통해 전해야 한다는 의무감을 갖고 기적적으로 큰 행운의 덕으로 숫자가 번성하고 있는 화원을 접하게 됐다는 것을 발견하고 더 큰 확신을 갖게 됐다. 그는 1945~1946년에 마르세유의 주택 단지Unité d'Habitation de Marseilles를 위한 첫 번째 계획에 손을 댔다. 그의 스튜디오와 사무실에는 기술자와 건축가들이 모였다. 그 속에는 기술의 정글 속을 누비는 여우처럼 숙련되고 교활한 사람도, 혹은 우리 문명이라는 하나의 일에 충실하고 열성적인 투사와 같은 사람도 있었다.

그리고 그 '비례 그리드'는 실질적인 시험에 들어갔다. 1946년과 1947년에 그는 뉴욕에서 며칠을 보내야 했다. 이스트 리버의 유엔 본부 건설 계획에 '모듈러'에 앞서 큰 모험을 해볼 기회를 가졌다. 그것은 콘크리트, 철, 돌과 유리로 만든 맑은 거대한 프리즘의 화려한 기하학체를 조화롭게 하며, 내부에는 예상을 불허하는 수많은 복잡한 기능들을 종합적 · 화음적으로 교향악에 활용하는 것이었다. 이 18개월 사이에 파리 아틀리에는 작업을 전속력으로 진행하고 있었다. 뉴욕에서 그가 "'모듈러'는 어떤 것인가?"라고 묻자, 파리에서의 대답은 항상 '기가 막힌 것'이라는 것이었다.

파리와 뉴욕 사이 먼 거리를 가로지른 낙관이 너무나 강하여 나는 성 토마스Saint Thomas처럼 의문을 가졌다. 1947년 파리로 돌아오면서 나는 처음부터 바로 '모듈러'를 이용할 수가 있었다.

그때 이후로 많은 계획들이 그 손들을 거쳐 지나갔다. 나는 '모듈러'를 사용하는 것을 주의 깊게 보기도 했고 감독을 하기도 하였다. 때론 제도판 위에서 만족스럽지 않은 잘못 만들어진 설계를 발견하곤 했다. 그럴 때면 그것을 설계한 사람은 "그래도 이건 '모듈러'를 가지고 한 것인데요."하고 말했다. 그러면 나는 "그래요? 그럼 '모듈러'를 생각하지 마시오. 당신은 '모듈러'가 서투르고, '모듈러'가 부주의한 솜씨를 고쳐주는 만병통치약이나 되는 것으로 생각하는 모양인데 지워버리시오. 만약 당신이 '모듈러'를 가지고 할 수 있는 전부가 고작 이런 것처럼 형편없는 것밖에 안 된다면 치워버리시오. 당신이 알아야 할 유일한 것은 당신의 눈이 바로 당신의 판단이라는 것이오. 당신의 눈으로 판단하시오. 당신들은 자신의 눈으로 다시 한 번 '모듈러'가 실용적인 도구이고 정확성이 있는 기구이며, 굳이 말한다면 피아노 건반, 그것도 조율된 피아노에 불과하다고 되뇌어보십시오. 피아노는 조율되어 있소. 피아노를 제대로 연주하고 안 하고 하는 것은 이제 당신들에게 달려 있소. '모듈러'는 재능을 주지는 않으며, 천재적 재능은 더욱 더 그러하오. 답답한 것을 경쾌하게 할 것은 없소이다. 확실한 척도의 사용으로부터 오는 안전함을 제공할 뿐이오. 그러나 '모듈러'의 무한한 조합 속에서, '선택한다'는 것은 당신에게 달린 것이오.

여기서 '모듈러' 응용의 첫 번째 시도는 다음과 같다.
(1) 마르세이유의 주거 단위
    (a) 전체 평면과 단면 :
    (b) 정면도와 햇빛가리개 :
    (c) 아파트(평면과 단면) :
    (d) 나무공사의 예 :
    (e) 1947년 10월 14일 행해진 기념식에서 사용된 돌 :
    (f) 표준 치수를 가진 돌기둥Stele :
    (g) 벽 :
    (h) 지붕 :
    (i) 조각품을 받치는 두 개의 받침 장치 :
    (j) 침실을 위한 조립식 가구들(1925년 파리에서 국제장식 예술전시회에 전시된 에스프리 누보의 집) :
(2) 세브르 가 35번지 작은 사무실
(3) 1948년에 미국에 있는 8개 주요 박물관의 이동 전시회 준비
(4) 타이포그래피Typography
(5) 생-디에에 있는 공장
(6) 나무로 만든 유리가 껴진 새로운 형의 창틀
(7) 수학과 장대함 : 이스트 강변에 있는 유엔 빌딩
(8) 도시 계획 : '파리 1937년을 위한 계획'

미첼레 대로Boulevard Michelet에 있는 마르세이유의 주거 단위

(현재 건설 중이며 26개의 공동시설을 포함한 1600명 주민을 위한 건물)

(a) 전체 평면과 단면

이 건물은 길이가 140미터, 폭이 24미터, 높이가 56미터이다. 《그림 49》의 (1)은 58개의 아파트 방이 있는 한 층을 나타낸 것이고 (2)는 세부적인 이 건물의 본체를 보여준다. 아파트의 공간은 L=366('모듈러', 파랑색 계열)이다. 각주를 보라.[23]

$$M=419=L\ 366\ S.b.+F.\ 53\ S.b.$$
$$K=296\ S.r.$$

$$\left.\begin{array}{l} I=113\ S.r. \\ E=43\ S.r. \\ A=6.5\ S.r. \end{array}\right\} \text{햇빛가리개가 있는 발코니}$$

$$H=86\ S.b.\quad \text{계단}$$

《그림 49》의 (3)은 건물의 전체 단면인데, 아파트의 높이는 J=226 S.b.이며, 《그림 49》의 (4)에서 상세한 단면도는 J=266 S.b.임을 새롭게 보여준다.

---

[23] L, B, F 등의 치수를 나타내는 글자 다음에는 미터법 숫자들이 나오게 되고 그 다음으로는 분류기호인 S.r.(빨강색 계열) 혹은 S.b.(파랑색 계열)로 첨가됐다. 3장 77페이지에 제시된 숫자표 참조.

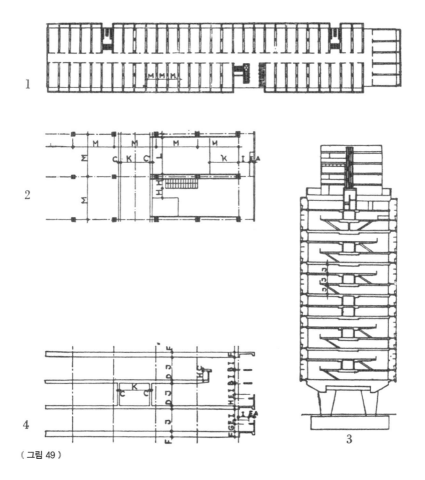

(그림 49)

D=33 S.b. (바닥판 두께)

F=53 S.b. (방화층을 포함한 바닥의 두께)

햇빛가리개Brise-Soleil에 관계되는 규격품

G=70 S.r.

E=43 S.r.

I=113 S.r.

B=16.5 S.r.

(b) 입면과 햇빛가리개

《그림 50》의 (5)는 필로티, 햇빛가리개, 매끈한 벽과 발코니 난간을 맞물려 놓아 입면의 모습을 나타낸다. (6)에서는 햇빛가리개를 비례로 재는 데 사용한 치수들이 명확해진다. C=20.5 S.b.를 제외하고 D, G, E, I, B, I, C는 이미 주어졌다. 그림의 밑에 있는 E는 햇빛가리개의 수직면의 폭을 나타낸다.

M은 기둥의 중앙선 사이 거리를 나타낸다. 419(L+F)

(c) 아파트: 평면 (1)과 단면 (2). 《그림 51》

(1) 평면(중이층의 침실이 있는 부분의 것)

366　　　=아파트의 폭

183　　　=53과 43을 가진 난간

86×226 =계단실

113　　　=찬장

113+113+113=층계참 위에 있는 작은 책상과 2개의 찬장

Series		
	Red	Blue
A	65^5	
B	165^5	
C		20^5
D		33
E	43	
F		53
G	70	
H		86
I	113	
J		226
K	296	
L		336
M	419=L+F	

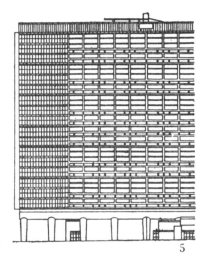

5

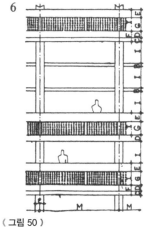

6

《 그림 50 》

129

(2) 단면

　　　　햇빛가리개 : 70 S.r+43 S.r.+366 S.b,

　　　　유리창틀 ; 70 S.r.+70+33 S.b.+266 S.b.

　　　　중이층 부분 : 높이 226 S.b. 천장밑: 두께 33 S.b. : 높이 226 S.b. 천장밑

　　　　벽의 판 : 86 S.b.+113 S.r. 책꽂이 +26 S.r.

　　　　안방+113 S.r. 판+140 S.b. 판

　　　　가구 : 70 S.r.×182 S.r. 식탁+33 S.b.+53×53 S.b. 꽃병 등을 놓는 벽이 움푹
　　　　　　들어간 곳

Note: 집필을 하던 날(1948년 2월 8일) 폭이 1.2m인 자재들이 칸막이 판으로 배달되었는
　　　데, 이 치수(120)는 낭비를 막기 위한 것이었다.

　　　　부엌: 작은 작업 테이블, 86 S.b.와 70 S.r.

　　　　목욕탕: 작은 장, 140 S.b.×113 S.r : 화장실의 작은 장

　　　　53 S.b.×53+33 S.b.×33+70 S.r. : 샤워실 입구 140 S.b.×53 S.b.

주거에서 이루어지는 일상생활의 가장 간단한 비품에 이러한 수학적 엄격함이 응용되어
사용된 적은 아마 일찍이 없었다고 해도 좋을 것이다.

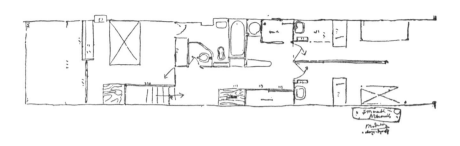

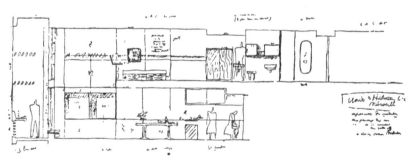

《 그림 51 》

(d) 나무공사의 예《그림 52》

A — 6.3 — R
B — 10.2 — B   F — 68.8 — R
C — 16.5 — R   G — 86 — B
D — 26.7 — R   H — 113 — R
E — 53.4 — B   I — 140 — B

(e) 1947년 10월 14일에 행해진 기념식에서 사용된 돌《그림 53》

많은 토론 후 1947년 10월 14일에 간신히 마르세유 현장의 기공을 축하하는 식이 거행되었다. 건물의 초석식. 단순한 연설? 아니다! 손으로 만질 수 있는 자취, 즉 돌이 어딘가에 적당한 자리를 찾아 놓여야 한다. 나는 그때 파리로 되돌아가기 위해 마리냐느Marignagne행 버스를 타려고 칸느비에르Cannebière에 있는 에어 프랑스항공Air France의 사무실 앞에 서 있었다. 워젠스키Wogensky는 나에게 돌은 어떤 크기로 하느냐고 묻는다. 나는 2.26m의 '모듈러'의 띠를 호주머니에서 꺼내고 그 자리에서 양손을 펴고 눈금을 보면서 즉석에서 계산해보았다.

폭 : 86 S.b.
높이 : 86 S.b.
길이 : 183 S.r.

그리고 공식 문서를 봉인하기 위해 바위에 파이게 될 움푹한 구멍에 대해서는

길이 : 53   S.b.
폭 : 16.5 S.r.
깊이 : 27   S.r.

이 커다란 돌은 8일 뒤에도 위엄과 우아함을 지니고 있었다.

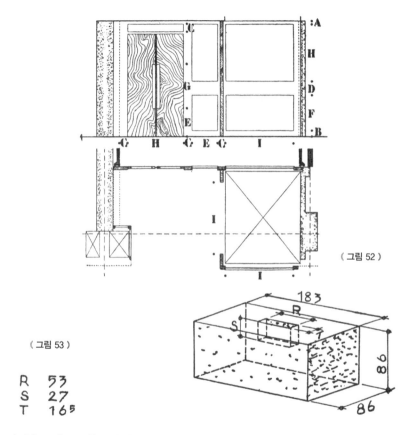

《 그림 52 》

《 그림 53 》

R 53
S 27
T 165

　이것은 또 '모듈러'를 기념하여 즉흥적인 건축을 할 수 있는 기회를 주었다. 이 이야기는 다음에 하겠다.

(f) 표준 치수를 가진 돌기둥Stele《그림 54》

마르세유 주간지 《V》는, 표지와 내용의 페이지 대부분에서 여성(특히 소녀들 것)들을 찬사하고 있지만, 1947년 11월 2일호에는 앞에서 말한 기념식에 관한 아주 좋은 기사가 실려 있었다. "부지 중앙에 있는 건물 기념비의 돌을 보는 모든 사람들은 이것이 건물의 초석이라고 생각했다. 그것은 르 코르뷔지에의 이론을 모르는 것이다. 확실히 그는 콘크리트 거장으로서 돌을 사용하지 않는다. 거기에 있던 돌은 단지 장래 완성되는 건물의 모든 계산을 대표하고 있는 것에 지나지 않는다. 어느 높이도, 어느 폭도, 어느 체적도, 이 한 덩어리의 돌을 기초로 하고 있다. 그 돌은 일층 큰 홀의 제일 좋은 장소에 자리 잡을 수 있을 것이다. 상징적으로 건물의 모든 것은 이 돌에 기초를 두고 있기 때문이리라.……"

이 기사는 제대로 서술된 것이고 또 제대로 생각된 것이지만 나를 너무 잘 믿어 준 것이었다. 사실 이런 이야기는 우리를 어지럽게 만든다. 나는 작업실의 설계자들에게 마르세이유의 건설에 사용된 모든 치수의 전문적 술어를 작성해보라고 요청했는데, 15개 치수로 해결했다. 15개라니! 나는 이 숫자들의 훌륭한 솜씨를 칭찬해야 한다고 생각했다. 나는 이 일을 표현하기 위해 동bronze으로 만든 숫자를 그 위에 박은, 또 빨강색과 파랑색으로 채색된 콘크리트 비석을 마음속으로 그려보았다. 4면으로 될 비석은 현관 출입구 근처에 있는 필로티pilotis 밑에 놓일 것이다. 동으로 가늘게 세공한 세 사람의 조각물은 하나의 법칙을 확실하게 나타내게 되는데, 그중 하나는 팔을 들고 있고 다른 둘은 겹쳐 놓여 있다. 우리는 마르세유에 있기에 그 비석은 동으로 만든 세 마리 물고기가 받치게 된다. 그리고 땅 위에서 측정이 시작되는 수평면(세로 지점)에 방문객들이 정확하게 서 있을 수 있게 하기 위해 그 물고기들은 땅 밑에 있는 조그만 연못에 놓여진다. 더 나아가서 이제 물고기와 파진 연못이 있으니 이 연못은 비석의 꼭대기에서 떨어지는 네 줄기의 물로 채우기로 하자. 그러면 이것은 '측정의 분수'가 되는 것이다.

이것이 높은 곳으로 오르는 '모듈러'의 첫 번째 도약이다.《그림 55》

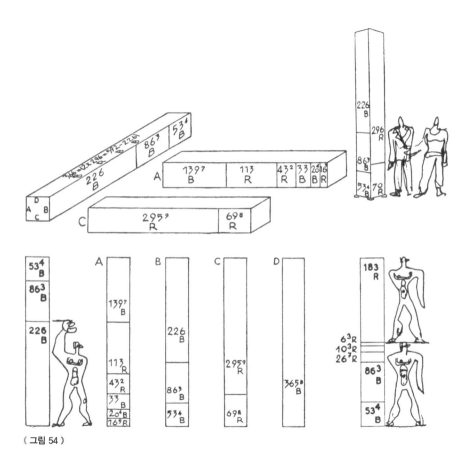

《 그림 54 》

135

몇 달 뒤에 좀 더 일할 수 있는 기회가 또 생겼다.

(g) 벽

콘크리트의 승강기 타워를 설계한 덕에 중앙 입구 앞부분에는 땅까지 내려오는 빈 콘크리트 벽이 넓게 생기게 됐다.(그림 58) 그리하여 건물의 가장 중요한 부분에 아무 것도 없는 넓은 공간의 벽을 갖게 되는 위험이 남게 된 것이다. 어떻게든 하고 싶다! 이 콘크리트의 큰 벽면은 '모듈러'에 감사하기 위해 바치자. 그 전면에 앞에서 말한 돌을 두자. '표준 치수를 가진 돌기둥'도 그늘 속에 세우지 말고 그곳으로 가져오고자 한다. 그리고 이 큰 콘크리트 벽은 깊게 판 홈으로 나뉨으로써 '모듈러' 윤곽을 나타내는 여러 크기의 판으로 분할될 것이다. '라벨'label(우리 사업의 표시)은 2.6m의 원치수대에 만들어지고, 그리드와 같이 구멍을 뚫을 수 있었던 돌로 만들자. 이 구멍에는 빨강과 파랑의 유리를 넣고, 인간 중심의 3단위triad로 그 Φ(파이)의 비율 및 배수를 나타내자. 땅에서부터 머리 꼭대기까지 높이(182.9 S.r.)는 '모듈러'의 표시의 축이 열십자로 교차하는 부분이 이 주택 단지의 중심 지점으로 고정된 것이다. (53.4×53.4 S.b.의 정사각형을 측정하는 J) 이제 이 완두콩보다도 작은 점이 전체 건물의 심장 부분이 되는 승강탑의 축을 이룬다고 말하는 것만이 남아 있다.(그림 56)

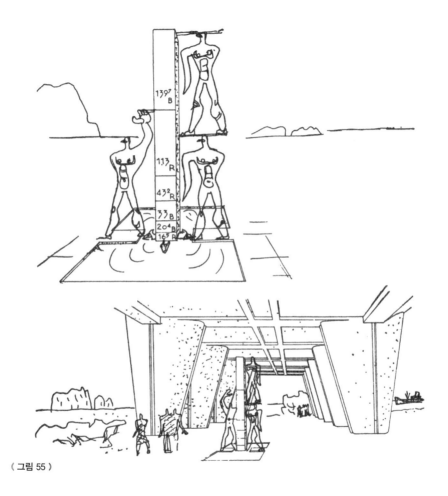

〈 그림 55 〉

	Series			Series
Red	Blue	Red	Blue
A 6^3		G 26^7	
B	7_8	H	33
C 10^2		I 43^2	
D	12_6	J	53^4
E 16^5		K 69	
F	20_4	L	86^3

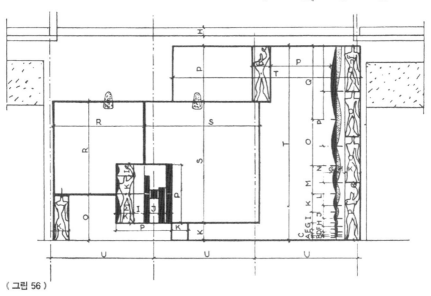

(그림 56)

M 113		S 478^8	
N	139_7	T 774_7	
O 182_9		U 419 = R + J	
P	226	Marseilles	
Q 295_9		East Façade of	
R	365_8	Entrance Hall	

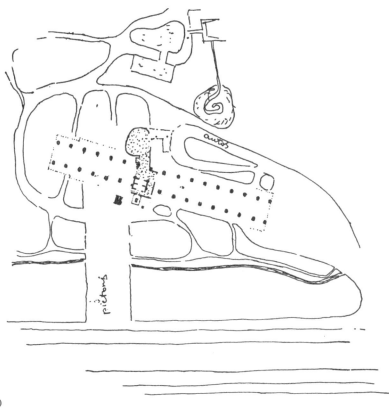

(그림 57)

이 설계를 스케치로 나타내었으며, 필로티(길이 140m)와 입구 홀(점의 조각) 그리고 승강기 타워가 그 홀 속에 그려져 있다. 이렇게 세심하게 배치한 것의 중심은 'B'자로 표시된 지점이다. 1947년 10월 14일 기념식 때 돌과 그 오른쪽에 축척의 돌기둥이 있다. 원래 위치에 있는 콘크리트 벽은 배경 막의 역할을 했는데, 그것을 나타내는 선은 꼭 한 부분에서 끊어져 있다. 그곳이 바로 건물의 핵심 소재이다. 핵심이란 말은 현악기를 만들 때도 사용된다. 바이올린의 핵심은 악기의 겉과 속 사이에 끼워지고 있는 작은 나무봉이며, 정확히 공명하는 지점이며 찾기 힘든 특이한 지점이다.

8m×13m 콘크리트면의 거푸집에는 6명의 인간상을 나무로 조각해 붙여 설치했다. 거푸집을 제거하면 이것은 음각으로 나타나고 빛을 받고 효과를 낸다. 이를 통해 다시 이 땅에 있고 지어진 모든 것은 인간적 척도에 맞추어 착상되고 세워진 것이라는 사실을 한 번 더 공언하는 데 있었다.(그림 56과 58)

(h) 지붕

지붕은 단지 고양이와 새들은 위한 놀이터였다. 실제 다음과 같은 용도를 두게 했다.
- 길이 300m의 달리기 트랙
- 지붕이 있거나 없는 체육관
- 클럽
- 옥상 정원, 탁아소(목욕, 일광욕, 각종 놀이 등)의 여러 설비
- 어머니들의 방
- 사교생활 : 일광욕실과 휴게실

《 그림 58 》

즉, 바다와 섬들, 생-시르St-Cyr와 쥐제의 떼뜨Téte de Puget, 생-보브Sainte-Baume, 생-빅뚜아르Saints-Victoire의 산, 마르세이유-라-빌Marseille-la-Ville과 노트르-담-드-라-가르드Notre-Dame-de-la-Garde, 에스타끄l'Estaque가 내려다 보인다. 실용적 욕구가 채워졌으니 이제 비례에 대해 생각해보기로 한다. 이 지붕은 마르세이유의 경관의 한 부분을 형성하게 될 것이다. 따라서 윤곽선은 우아해야 하고 다양하고 미묘한 분위기를 풍겨야만 한다. 커다란 모형이 만들어졌다.《그림 59》

A=33 S.b., 바닥판의 두께

B=43 S.r., 홈이 있는 지붕의 두께

C=86 S.b., 통풍 장치의 받침돌

D=113 S.r., 장난감 놀이터의 벽과 마찬가지로 모래놀이터의 분리를 위한 벽의 높이

E=140 S.b., 낮은 벽들

F=183 S.r., 여러 가지 벽들

G=226 S.b., 어머니 방의 높이

H=296 S.r., 바bar

I=366 S.b., 아이들이 물장난하는 풀의 폭

J=479 S.r., 체육관의 높이

K=775 S.r., 수영장의 길이

L=1253 S.r., 체육관의 북쪽폭

M=1549 S.b 체육관의 남쪽폭

N=1549 S.b.+226 S.b.=1775, 물탱크와 승강기 탑의 높이

P=775 S.r.+53 S.b.=828, 물탱크와 승강기 탑의 폭

R=592 S.r.+53 S.b.=645, 물탱크와 승강기 탑의 깊이

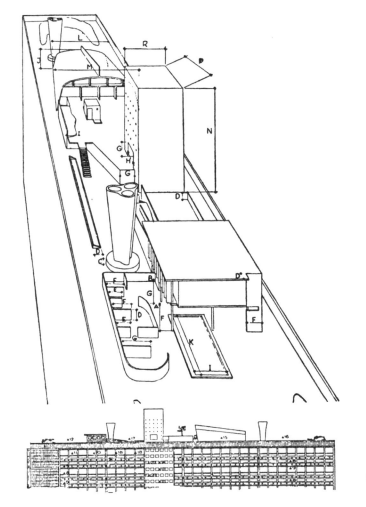

(그림 59)

앞에서 언급한 것들은 다만 보여주기 위한 목적으로 부분적으로만 제시된 것이다. 사실에 있어서 모든 측정값은 '모듈러'에 따라 움직이고 있다.

(i) 조각품을 받치는 두 개의 받침장치(그림60)

남쪽 벽은 높이 56m의 면을 2개의 필로티로 지지하고 있다. 그 부분을 1948년 9월 13일, 그냥 내가 현장에서 떠나려 할 때에 바로 부어 넣으려 하고 있었다. 나는 목제 틀 앞에 멈춰 서서 생각했다. 이 위에 있는 50m 햇빛가리개가 그리는 선을, 그리고 그것의 지주가 되는 노출된 강력한 필로티를 위해 뭔가 축하해주어도 좋다고 생각했다. 그러니까 적어도 콘크리트를 부어버리기 전에, 나중에 조각품을 지탱하는 데 사용하게 될 두 개의 받침 장치를 통합함으로써 그러한 가능성을 남겨놓아야만 했다. 사람들은 내가 조형 예술, 조각, 그림을 싫어한다고 말하기 좋아하나, 내가 지난 30년 동안 매일 그림을 그려왔다는 사실을 생각해볼 때 터무니없는 일이다. 사실로 말하면 나는 형식적인 것을 싫어할 뿐이고, 내가 만일 조형 예술의 진정한 통합을 꿈꾼다면 식당의 게시판을 늘상 그려져 있는 과일 그릇과 같이 예술가와 예술에 박학한 사람들이 우리에게 보여주는 겉치레 같은 짓은 하지 않을 것이다. 차가 기다리고 있었다. 나는 받침대를 만들 콘크리트의 청사진을 청해서 나중에 목수들이 거푸집을 바로 자르게 하기 위해 단숨에 그림을 그리고 치수를 적어놓았다.

두개의 받침 장치에

　　　높이 ········· 53　S.b.
　　　폭 ··········· 16.5 S.r.
　　　돌출부 ······· 86　S.b.
　　　간격 ········· 183 S.r.

144

아울러 모든 콘크리트가 거푸집이 제거된 다음에도 맞대고 있지 않은 채로 남아 있게 되고 판자들의 접합 부분들이 보일 수 있게 하기 위해 나는 폭이 조화로운 작은 판자들을 사용해야만 한다고 가르쳐주었다.

26.5 S.b.

16.5 S.r.

10 S.r.

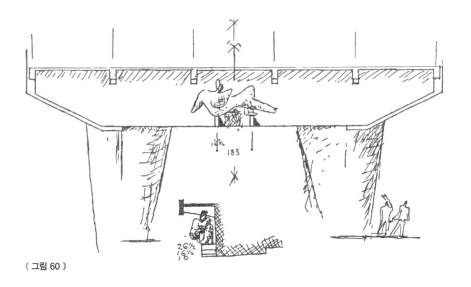

《 그림 60 》

이것은 작업장에서 '모듈러'가 사용된 작은 예를 보여준 것이다.

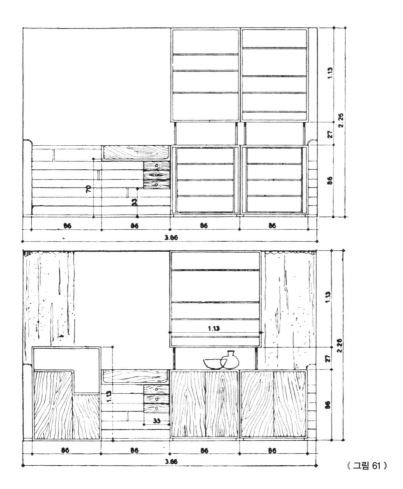

(그림 61)

(j) 침실을 위한 조립식 가구들《그림61》(1925년 파리에서 국제장식 예술전시회에 전시된 에스프리 누보의 집)

3.66 S.b.의 면 내에 모든 목제품들이 편리하게 배치되어 모든 물건들이 앉아 있거나 서 있는 위치에 적합하게, 앉아서 손이 닿는 거리 안에 놓이게 됐다.

II
아주 작은 사무실

세브르 가 35번지에 있는 우리 건축사무실은 50m 길이이다. 제도하는 사람들이 그 대부분을 점령하고 있다. 사무실 사람들은 넓지 않은 지역을 차지하고 있다. 나 자신은 감방처럼 유리창이 없지만 냉방 시설이 되어 있는 사무실에서 근무한다.《그림 62》

나를 방문하는 사람들은 이 사실을 알고 있어서 나에게 요령 있고 적절하게 말한다. 때로는 동시에 4명의 방문자가 올 수 있지만, 이는 5명이 같은 크기의 공간에 있다는 것을 의미한다.

> 폭　　　226 S.b
> 깊이　　226 S.b+33 S.b.
> 높이　　226 S.b.

'모듈러'의 표준 체적은 : $226 \times 226 \times 226$

치수의 조합이 이렇게 일치되어 있기 때문에 다음과 같이 가구와 장식품들을 효율적으로 배치할 수 있었다.

> 책상 : 53 S.b × 113 S.r.
> 벽화(왼쪽에 있는 것) (엷은 색 사진) : 166(113+53).
> 　　　　　　　　　　　　　　226 S.b

남은 판 : 86 S.b.+막대기 세 개(3×2).

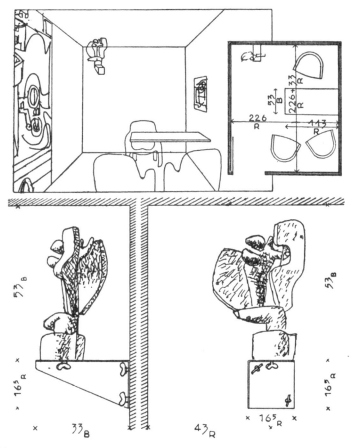

（ 그림 62 ）

금속판을 접어 만든 받침대 위에 놓은 다색의 나무 조각 :

　　　받침대 : 돌출부 ······ 33 S.b

　　　폭 ········ 16.5 S.r.

　　　높이 ······ 16.5 S.r.

방의 구석에 놓을 때 그 위치

　　　왼쪽으로부터 거리 ···· 43 S.r

　　　천정으로부터 거리 ···· 53 S.b

이동 전시회의 준비

(6개 주요 미국 박물관의 후원 아래)

    건축물, 도시 계획, 그림 전시회이다. 재료는 '이탈리아 판형'Italian format 29×23으로 제작된 'L. C.의 완전한 작품집(Erlenbach, Zurich에서 출판)'에서 뽑은 인쇄된 종이들로 했다. 여러 크기로 확대한 사진들과 실제 그림들이 그것이다. 방수는 박물관마다 다르기 때문에 미정이다. 그러나 '전시 벽'은 여러 크기의 전시품들을 걸게끔 각 방에 맞게 설계될 수 있을 것이다. 그리고 홀 중앙에는 양쪽에 확대된 사진을 걸 수 있게 못을 박은 전시용 진열대(혹은 스크린)를 놓을 수 있게 했다.

(a) 전시용 벽 : 《그림 63》의 (1)

    C=26.5 S.r., 인쇄한 종이나 작은 전시물을 놓을 자리

    I=86 S.b., 중간 크기 전시물들의 높이

    F=113 S.r., 인쇄된 전시물들의 축

    G=140 S.b., 큰 전시물들의 높이

    치수들을 같이 모아보면 이것이 '모듈러'의 '3원성Triad'과 '2원성duality'에 일치하게 된다는 것을 알게 된다.

    E+D+E+(86+53.5+86)=226 (손을 위로 올린 사람의 길이)

    G+E+G(140+86+140)=336 (서 있는 사람 키의 2배)

    이것은 모든 것을 항상 인간 스케일에 유지하기 좋아하는 사람들의 기호를 만족시키기 위해서 언급한 것이다.

(b) 못 박은 진열대 혹은 스크린 : 《그림 63》의 (2)

B=206, 이것은 공간에 장애물이 되지 않을 치수이며 이동할 수도 있다. 이것은 또 과거에 얻은 경험, 즉 226이라는 높이가 실제로 그러한 장애물을 형성한다는 경험 때문에 '모듈러' 아닌 것으로 신중하게 선택된 것이다.

C=226 S.r.

A=140 S.b.

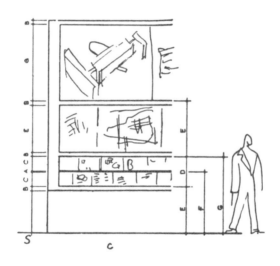

《 그림 63-1 》

(그림 63-2)

논쟁중인 것은 1948년 봄에 나온 《오늘의 건축L'Architecture d'Aujourd'hui》[24]이란 잡지의 특별호에 실린 200개 도판의 배치였다.

잡지의 크기는 310×240mm였다.

문제는 도판에 맞을 형태의 치수와 각각 형태를 위한 치수를 밝혀내는 데 있었다.《그림 64》

'모듈러'로 만들어진 모든 요소들은 각각 조화가 잘 됐다. 보드지는 치수에 맞게 잘랐고, 배치도 신속·능숙·정확하게 실행됐다.

첫 번째 치수 (A)는 잡지와 같은 치수이다. '모듈러'(눈금이 매겨진 띠)를 종이의 아래 위로 움직이면서 우리는 쓸모 있는 치수 29.8과 328.8 사이의 간격, 다시 말해서 약 300mm를 발견했다.

두 번째 치수도 같은 방법으로 종이의 면 위에서 움직이는 띠를 통해 우리는 24와 267 사이의 간격, 즉 약 243 S.r.(B)의 간격을 얻게 됐다. 243의 간격은 '모듈러'의 다음과 같은 값으로 만들어진 것이다.

$$
\begin{array}{llll}
 & 24와 & 39 & 사이 간격 \\
+ & 39 & — 63 & 사이 간격 \\
+ & 63 & — 101.9 & 사이 간격 \\
+ & 101.9 & — 164.9 & 사이 간격 \\
+ & 164.7 & — 266.8 & 사이 간격 \\
\end{array}
$$

[24] Boulogne–sure–Seine. L'Architecture d'Aujourd'hui. Le Corbusier에 대한 두 번째 특집.

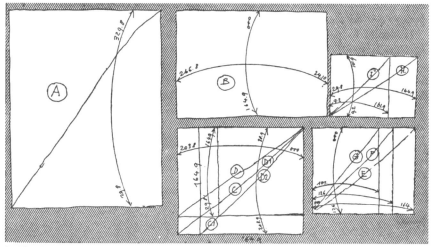

《 그림 64 》

세 번째 치수는 오른쪽과 왼쪽에 남는 부분이 있음을 선험적으로 알아차리고, 예를 들어서 000과 203.18 사이 간격을 약 203mm(C)로 선택하였다.

네 번째 치수로는 000과 164 사이 간격을 약 164 (E)로 채택하였다.

다섯 번째로는 29.8과 164.4 사이 간격을 134.6 (H)로 했다. 이런 방법으로 도판을 위한 다섯 개의 치수를 얻었다. 다음으로 해야 할 일은 정사각형과 직사각형 사이를 왔다갔다 할 형태들을 발견하는 일이다.

(C)를 갖고 작업하면서 나는 38.9와 203.8 사이 간격 164.9를 골라서 그 면을 가로질러 '모듈러' 띠를 움직였다. 그러자 대각선이 생겨 형태 (C)가 형성됐다. 세로로는 164.9를 취하자, (C l), 즉 정사각형 형태를 얻을 수 있었다. 이 정사각형과 대각선 (C)가 교차하면서

155

29.8과 164.9 사이 간격은 135라는 치수를 얻을 수 있었는데, 이것을 대각선으로 해서 형태 (D)가 형성됐다. 그 점으로부터 해서 (D l)과 (D 2)의 두 대각선은 164.9이고 다른 하나는 135인 정사각형의 형태를 만들어 냈다.

(E)를 생기게 한 164의 치수에서도 같은 방법을 사용해서 우리는 정사각형 (F) 126×126과 101×126인 직사각형 (G)을 얻을 수 있었다.

(H) 134.6×101을 가지고 작업하면서 또 101×101에 해당하는 정사각형(I)을 만들어 냈다.

이렇게 사진도판의 형태와 치수를 가지고 한 실험은 빨강색과 파란색 계열의 값 사이 간격을 이용할 수 있었는데, 이것 덕분에 7차적 작업의 산물인 관계로 '모듈러'의 숫자표에는 나타내지 않는 숫자들을 얻어낼 수 있었다.

이런 맥락에서 유의해야 할 것은 이러한 종류의 작업이 자연 속에서 명확하게 보인다는 것이다. 작업자의 손에서 눈금 있는 띠로 사용된 '모듈러'에 그는 자신이 찾으려고 노력했던 수치를 볼 수 있게 됐다. 이것은 대단히 중요한 일이다. 우리 시대 비극은 수치들이 어디서나 추상적이고 임의적인 데에 있다. 이 수치들은 구체적으로 나타나야 하며, 우리 세계의 살아 있는 표현이어야 하고, 우리의 것, 사람의 세계, 또 우리의 지성으로 감지할 수 있는 유일한 것이어야만 한다.

V
생-디에Saint-Dié 공장

쟝 자끄 뒤발Jean-Jacques Duval 씨는 예술과 사상에 관심 있는 젊은 산업 경영가이다. 관여했던 모든 사람들로부터 심한 공격과 배척을 받은 생-디에 도시 계획을 후원했던 바로 그 사람이다.

그의 공장 건설(현재 공사 중)과 연결지어서 우리는 정말로 거의 음악에 가까운 정교함을 소개할 수 있었다. 이것은 마치 '모듈러'에 의한 대위법 아니면 푸가(둔주곡)와 같았다.《그림 65》

여기에는 3가지 중요 매스가 있는데,

> 필로티로 개방된 회랑 ;
>
> 평행 육면체의 작업실 :
>
> 건물 꼭대기에 있는 사무실과 옥상정원

거기에는 또 3가지의 운율 혹은 다른 리듬이 있는데,

> (a) 철근 콘크리트로 받쳐진 구조의 간격 : 필로티, 기둥과 바닥판
>
> (b) 작업실의 정면에 있는 햇빛가리개(콘크리트)의 격자
>
> (c) 사무실과 작업실의 앞에 있고 햇빛가리개 뒤에 있는 유리로 된 창틀(참나무로 만든)

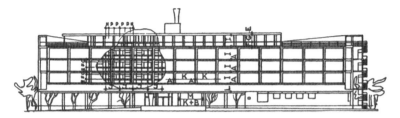

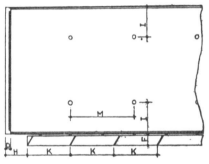

Red Series		Blue Series
A		7^8
B		33
C	43	
D		53
E	70	
F	113	
G	183	
H		226
I	296	
J		366
K		592
L	1254	
M	625 =	K + B
N		86
P		140

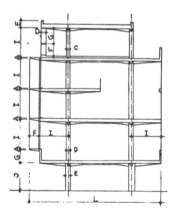

《 그림 65 》

158

(a) 구조

평면도와 단면도에 따르면

       간격 $M=(K+B)=592$ S.b.$+33$ S.b.$=625$.

       두께 $E=70$ S.r.

                  $D=53$ S.b.

                  $C=43$ S.r.

       돌출부분 $I=296$ S.r.

(b) 햇빛가리개

평면도와 정면도에 의하면

       벌집모양의 폭 $K=592$ S.b.

                  높이 $l=296$ S.r.

                  두께 $A=7.8$ S.b.

                  깊이 $F=113$ S.r.

(c) 유리로 된 창틀

정면도에 의하면

       유리창이 목재로 된 틀 $J=366$ S.b.

                           $N=86$ S.b.

                           $P=140$ S.b.

여기서 우리는 기준이 되는 구조들, 유리로 된 창틀과 햇빛가리개를 결정한 치수에서 재미있는 것을 발견할 수 있다. 이 치수들은 세 개가 모두 다르고 서로 어떤 관계도 없으며 절대로 일치하지도 않을 숫자들이다. 즉,

      625   592   366

그러나 이 치수들은 같은 음폭에 속하고 또 같은 가족family이다. 나는 건축가들이 여기서 연주한 음악은 드뷔시 음악처럼 견고하기도 하고 섬세하며 어둠이 깃들 것이라고 생각한다.

VI
나무로 된 새로운 유리창틀

그해 1948년 당시 지방의 조례에 따라 제약을 받았던 1930년대 건설된 건물을 소개받았는데, 그 당시 규제는 철근 콘크리트 구조일 때 개구부 높이를 204센티미터로 하는 것이었다. 우연히 이 높이가 결정됨에 따라 그 개구부 뒤에 펼쳐질 아파트의 모든 비례를 결정하게 됐다.

이 경우에는 183-53-226의 피트-인치 '모듈러'는 사용되지 않았지만 특수한 '모듈러'(말하자면 눈의 착각과 비슷한)인 165-204에 기초를 두고 만들었다. 이것은 대단히 흥미 있는 일이며 모든 종류의 공식을 대하는 우리 태도의 성격을 반영하는 것이다. 즉, 먼저 예상해 보고 만져 보고 느껴 보고 그 다음에 결정하는 것이 우리 일의 순서이다. 여기서 분명히 183-226의 '모듈러'는 건축적 감정과 원인으로 존재해야 된다는 것을 제외했다. 유리판. 이 경우에 모든 것은 건축적 감각의 주된 조직으로 유리 단면에 조화되었다.

이 일은 실제로 해 본 결과 성공적으로 판명됐다. 누구도 핑계를 생각지 못했다. 조화는 전체 구조를 지배한다.

여기에 출발로 0부터 267까지 가는 특별한 띠를 마련했다.

아래 있는 것은 특별한 띠를 참고한 유리창틀의 측정도이다.

주요부의 유리 : $I \times G = 169 \times 123.5$

부차적인 유리 : $E \times I = 58.3 \times 123.5$

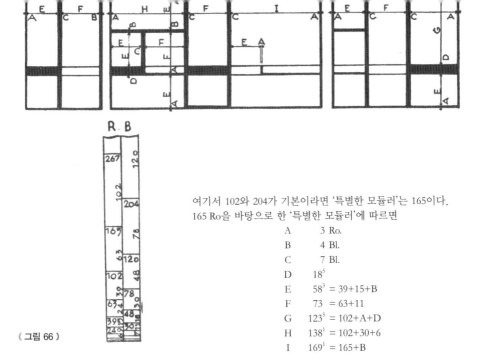

《 그림 66 》

여기서 102와 204가 기본이라면 '특별한 모듈러'는 165이다.
165 Ro을 바탕으로 한 '특별한 모듈러'에 따르면

A	3 Ro.
B	4 Bl.
C	7 Bl.
D	18^5
E	58^3 = 39+15+B
F	73 = 63+11
G	123^5 = 102+A+D
H	138^1 = 102+30+6
I	169^1 = 165+B

VII
수학과 장대함

뉴욕에서 1947년 3월.

맨해튼 이스트 리버 유엔 사무국의 계획.

1947년, 뉴욕의 비극적이고 견고한 요새 속에 '빛나는 도시'를 도입할 계획도가 그려졌다.

태양, 공간, 녹색. 이것이 지켜져야 할 약속이다. 기업은 그들 차원에서 오랫동안 이루어져왔던 것을 능가했다. 사실로 말하면, 이런 종류의 건축 복합체에는 수의 개념을 통해 관리할 기회가 없었다.

《그림 68》에 적용 크기(a, b, c, d, e, e^1, e^2, e^3)를 기록했으며, 그것은 수학의 찬란함으로 하늘을 채울 수 있고 채워야만 하는 규모이다. 그 공간은 길이 450미터, 깊이 150미터, 높이 200미터이다.

수에 대한 호소를 여기에서는 하지 않는다. 왜냐하면, 이 경우에 가끔씩 개가를 올렸던 조작이 다 끝난 다음에도 일을 맡고 있었던 사람들은 그 과업이 요구하는 정신에 무관심하고 소외되어 있으며 '기적의 문의 문지방을 넘는 데' 필요한 정교함, 섬세함, 호기심이 결핍되었기 때문이다. 이제 건물들이 가진 위대한 리듬의 진동이 실현됐다.

맨해튼 하늘에서 광채를 발할 '유리의 열망Passion of glass'이 그것이다. 내부의 구조나 광채가 나는 벽과 딱딱한 벽, 햇빛가리개, 또 어느 곳에서나 볼 수 있는 철골과 콘크리트 기둥들은 튼튼한 신체를 갖고 있는 영양의 날씬한 발목처럼(거대한 전체의 구조처럼) 일체, 즉 통일의 근원을 이룰 것이다. 그리고 전체로는(건물의 큰 리듬) 혼란스럽지만 세부 사항에서는 통일과 일치를 만들 것이다. 더 이상 단순히 '빛 아래에 모인 많은 형상'이 아니라, 조화의 법칙으로 모든 것을 지배하는 좋은 과일의 열매처럼 견고한 내부 구조를 말하는 것이다. 나는 지난날 나에게 가장 감명을 주었던 계기를 회상해본다. 그것은 1931년 우리의 소비에트 궁전Palace of Soviet과 1934년 6월 4일 파리–로마 간 급행열차의 차창에서 보았던 피사의 사탑과 성당Campo santo of Pisal을 떠올린다.(그림 67)

이 모든 것은 인간 스케일에 맞춘, 조화로운 측정에 따라 건설한 것들을 구획적으로 체계화하려는 동경을 보여준다.

《 그림 67 》

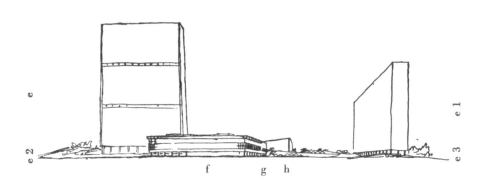

Création du siège des Nations Unies sur l'East River
   par Le Corbusier , du 26 janvier 1947 au 27 mars 1947
Ce présent dessin a été fait le 27 mars 1947 par L-C
au RKO Building 21me Stage , à New-York.

(그림 68)

164

VIII
도시 계획

1937년 파리 계획. 파리 중심부를 만드는 계획을 실행하는 것은 언제가 건물에 수학을 본격적인 규모로 적용할 기회가 될 것이다. '삼차원 도시 계획'(지상과 공간에서). 그러면 모든 것은 가려지기도 하고, 변화하기도 하고, 여러 겹이 되고, 무한히 계속해 공명하고, 순환되기도 할 것이다. 나는 건축이 활짝 피는 다른 길은 없다고 확신한다. 전주, 합창과 푸가, 곡조와 대위법, 조성과 리듬. 《그림 69》

화려한 파리 대신에 그 계획에 곡조와 리듬이 있고 기하학과 자연이 있으며, 인간적 비례와 언덕과 계곡의 경치가 있는 보스즈Vosges 지방의 수수한 작은 도시인 생-디에를 생각해보는 것이 좋을 것이다(1945). … 《그림 70》

전체적으로도 그렇지만 가장 세부적인 부분까지 엄청 신경을 쓴 예는 앤드워프Antwerp 강의 왼쪽편을 도시화한 경우이다(1933). 《그림 71》

또 다른 예는 마르세이유의 주택 단지보다 10년이나 앞서고 주위 환경에 잘 맞춰진 형태로 지어졌던 '빛나는 도시'의 한 부분이다. 파리 '불량 주택지구 6호, 1937(L'Ilôt Insalubre No.6, 1937)'. 《그림 72》

모든 것을 적절한 치수로 했다.

즉, 필로티, 고속도로와 길들, 수영장, 건물들, 꼭대기에서 바닥까지 내부 모든 물건들, 주차장 등 ……

마지막으로 현대 건축과 도시 계획의 잠재적인 위대함을 눈으로 보는 것으로써, 아프리카의 도시 알제리Algiers의 해변가에 바스띠옹 15Bastion 15의 재개발에 적용시킨 것이다. 《그림 73》

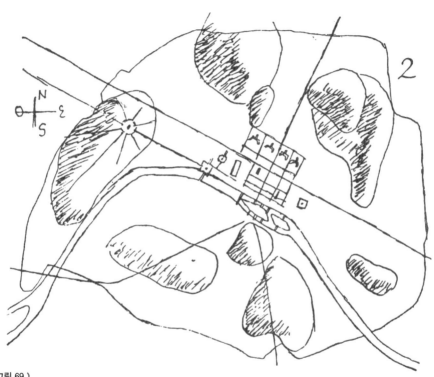

〈 그림 69 〉
1937년 파리를 위한 계획

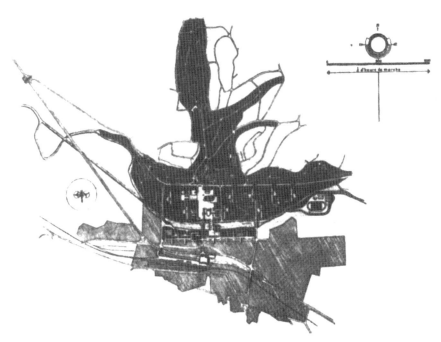

(그림 70)
1945년 생 디에 계획

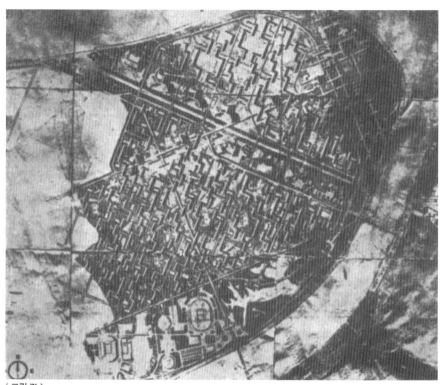

〈 그림 71 〉
1933년 앤드워프Antwerp 강의 왼쪽편 계획

168

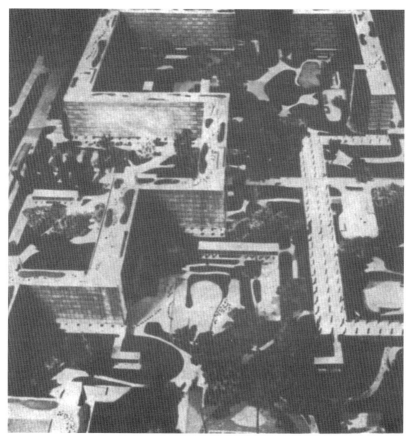

《 그림 72 》
1932년 빛나는 도시의 한 부분

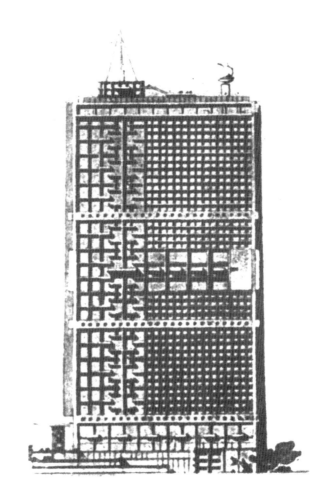

(그림 73)
알제리의 상업센터

거대한 계획이 막 시작되려고 했던 1939년, 리오에 있는 교육부 건물 작업을 끝내고 이스트 강변에 있는 유엔의 '데카르트식의 마천루'를 세우기 전에 모든 것은 측정되고 통합되고 결합됐으며 수학적 행위가 있었다.

'모듈러'는 우리가 오랫동안 정신적 압박과 물질적 빈곤 속에 살아왔던 어두운 세월 속에서 노력 끝에 성취한 것이다.

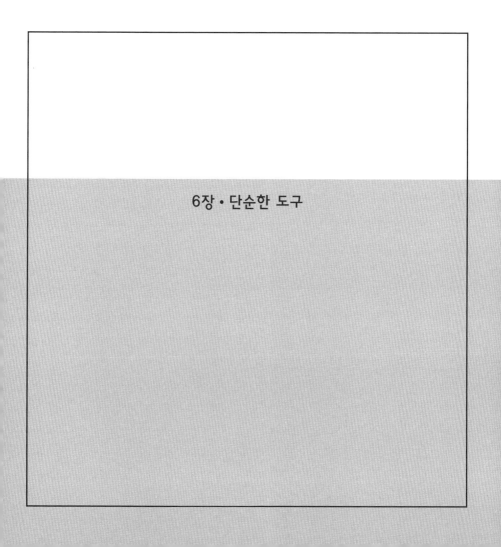

6장 • 단순한 도구

"**많은** 사람들은 널리 실시하고 '조화로운 측정 방법'이 실제로 항상 전통적인 피트-인치와 미터에 묶여 있고, 이것이 유일한 비교의 기초가 된다는 생각에 제약을 받고 있다. 어느 건물의 치수가 미래의 소유자가 될 사람에 따라 자세히 명시될 때도 '모듈러'에 따르는 것이 아니라, 피트나 미터로 행해졌다.……"

이 의견은 1948년 8월 6일 뉴욕에서 존 데일John Dale 씨가 나에게 말한 것이다. 이 지적은 정말로 장애물이 되는 오해의 소지가 어디서부터 생기는가를 보여준다는 의미에서 대단히 중요한 것이다. 적절한 순간에 문제가 나왔기에, 토론하여 분명히 하도록 하자.

(B) '모듈러'는 '평가된' 치수를 이용하고 있다(능동적인 현상). 주문자에서 건축가에게 주어진 문제는 모든 유통되는 호칭이나 피트-인치, 즉 숫자로 표시하고 있다.(수동적 현상)(A)

'모듈러'는 (A)에 응답하기 위해 (B)를 조정(능동적)한다.

(A)는 주문자의 개인적 또는 직접적 요구이며 직업적 임무의 고찰에서 일체 분리된 것이다. 전문가에 결합된 능동적인 임무는 (B)이다.

- 구성의 균형
- 주변과의 관계
- 규격화, 표준화, 공장 생산
- 마지막으로, 결과로서 조화(이웃의 존중, 분위기의 조성, 시민성, 예의 등……)가 건축가의 역할 자체이기도 하다.

나는 존 데일 씨에게 이렇게 대답했다.

"귀하가 '모듈러' 대해 기존의 명칭인 '미터'나 '피트-인치' 사이의 대립에 대한 주의 깊음은 '모듈러'의 존재 의의를 명확히 하는 데 도움이 됩니다. '모듈러'는 척도의 스케일이며, 피트-인치와 미터는 숫자입니다. 이 수적 표현을 하고 있는 것(미터, 피트-인치, 기타 이용되고 있는 것)이 '모듈러' 값과 크기를 나타내는 것을 허용하는 것입니다. 보통 사용되는 방법으로, 즉 귀하의 편이 피트-인치이고, 우리 편이 미터입니다. '모듈러'는 일의 도구입니다. 창작하는 사람들(스스로 만들어내는 사람들, 즉 설계자나 디자이너들)을 위한 것이지 공사자들(석공, 목공, 기계공 등)을 위한 것은 아닙니다.

그러나 나의 관심은 영국의 《아키텍쳐럴 리뷰(건축평론*Architectural Review*)》의 1948년 2월호에 Le Corbusier's Modulor(르 코르뷔지에의 『모듈러』)라는 제목의 한 책 속의 삽화(내에게서 나온 것은 아닌)에 눈을 돌리게 되었습니다. 이 삽화는 '모듈러'의 다양한 폭의 눈금의 일부를 다시 기록한 것으로 m 15, m 17, m 19 등(빨강색 계열) 및 m 16, m 18, m 20 등(파랑색 계열)[25]으로 부르고 있습니다.

나는 여기에서 아주 큰 위험을 발견했다. '모듈러'의 실질적 사용이 혼란과 실행 불가능 속에 빠져들 뿐만 아니라(왜냐하면 m 16이나 m 105 등은 순수하고 지나치게 추상적이라서 생명의 활력이 빠져 나가기 때문이다.) '모듈러'가 갖고 있는 매우 중요한 상관된 목적을 잃어버리게 된다. 이것은 피트-인치와 미터 사이에 생기는 일치 또는 협조 관계를 말한다. 이러한 일치는 매우 중요하다.

이러한 이유로 '모듈러' 띠는 각 눈금에서 원래의 계산법을 유지하고 있어야 한다.

밀리미터에서	164.9	266.8	431.7 등	빨강색 계열
인치에서	6.492″	10.504″	16.997″ 등	
그리고	203.8.	329.8	533.6 등	파랑색 계열
	8.024″	12.984″	21.008″ 등	

또한 m 19, m 17, m 15 등의 호칭은 m 3, m 2, m 1, m 0을 예상합니다. 그런데 이것은 불가능합니다. 결코 0에 이르지 않습니다. 그것은 감소하는 Φ(파이) 계열에서 얻을 수 없는 것이다.*

---

[25] m은 '모듈러'를 나타내는 것이라고 생각한다.

중요!

당신은 자신이 미래의 예언자라고 생각한다. 그러나 당신은 시대에 뒤떨어졌던 것으로 판명됐다! 1920년 또는 1921년 군용기 생산 공장은 생산을 중단하고 자동차를 생산했다. 엉뚱한 생각의 사람들은 신문에 "왜 우편이나 여객을 수송하는 비행기를 만들지 않을까?"라고 생각했다. 바보 같은 놈이라고 나는 생각했다. "일반인이 스스로 죽기 위해 너희들의 비행기에 타려 할 것인가 아무도 타려 하지 않아!"라고.

* * * * *

1949년 4월 6일의 모임에서 보편적이고 조화로운 측정에 대해 내가 몇 마디 적은 주거헌장Charge de 1'Habitat의 원리를 재개발과 공공사업 경제 자문 회의Commission Reconstruction and Public works of the Council Economics에서 발표하자 의장은 측정 제도의 이원성, 즉 미터와 피트-인치 때문에 생기는 큰 불편에 대해 강조하면서 그 주제를 더 전개해 나갔다.

그는 다음과 같이 덧붙였다. "공사장에서 일하는 노동자, 석공, 기계공들은 각각 글자와 그림으로 표시가 된 직선의 값을 조작하는 데 익숙해져야만 할 것이다. 그런데 그들이 어떻게 잘 할 수 있겠는가 등등."

당신은 이제 발명가들이 자신들에게 대해 조심스러운 어떤 것을 갖고 있음을 보게 될 것이다. (이 경우에는 나 자신을 말하고 있다.)

'모듈러'로 돌아와서 존 데일에게 그리고 나에게, 이 세대가 그러한 갈등을 해결하면 다음 세대는 미터법과 인치법의 갈등을 잊어버리고, 다만 보편적인 측정만을 알게 될 것이다. 오늘날 틀에 박힌 기호들은 포기되고 잊혀질 것이다. 내가 한 번(성급하게) '추상적'이라고 불렀던 것은 오늘날 평범한 숫자가 될 것이다.

현실과 강하게 연계되어 남아 있으려는 것이 항상 나의 희망이었다. 전술했듯이 그것이 얼마나 어려운가를 보았다.

앙리 밀레Henri Miller는 맹렬한 비난의 글을 이렇게 썼다.[26] "우리는 연금술, 즉 우리의 참된 상징을 만들어내는 잘못된 알렉산드리아식 지혜인 연금술로 돌아가려 하고 있다. '만일 이 일의 목표를 같은 방향으로 적용시킨다면 나는 곧 이렇게 쓸 것이다. '모듈러'는 이상하고 경이로운 신이 되어서는 안 되고 사물에 속도를 내게 하고 함정이나 웅덩이를 건너 앞으로 나아가기 위한 간단한 도구이어야 한다.'라고 쓸 것이다. 디자인을 하는 기술자들의 진정한 목표는 창조하고, 발명하고, 찾아내고 자신들이 갖고 있는 것을 보여주고, 비례나 시에 도달하는 것 등등이다. 작업하는 도구인 '모듈러'는 운동장을 깨끗이 치운다. 그러나 뛰는 자는 '모듈러'가 아니라 당신이다! 당신을 위한 아주 간단한 해답이 여기에 있다. '뛰어야 하는 것은 바로 당신이다.', '어떤 사람들은 재능이나 소질을 만드는 것들을 화공약품상이나 요술품을 파는 상점에서 사려고 한다. 불쌍한 바보 같으니라고! 우리들 속에 깊이 있는 것을 제외하고 존재하는 것은 아무것도 없으며, 그리고 '모듈러'는 다만 집안일을 할 뿐이지 더 이상은 아니다. 무슨 큰 일이 있겠는가!"

* * * * *

지금까지의 장에서 과학적인 논쟁을 나타낸 것은 없었다. 이유는 간단하다. 나는 과학자가 아니다.

길(트랙)은 본능과 직관을 가진 사람들에게 모든 방향으로 가로지르고, 또 가로지르게 하고 점차로 한결같지 않은 부분들로 덮어 왔다. 그런 점에서 어느 날 해결책이 발견됐다. 그

---

[26] 북회귀선(*Tropique du Concer*).

178

러나 그것이 해결책인가! 우리는 그것을 증명할 어떤 것도 갖고 있지 않다. 이 작업에 관계하는 우리는 그것에 어떤 판단을 내릴 수 있는 사람들이 아니다.

나무는 열매에 따라 평가된다. 그래서 우리는 가식이나 그릇된 오만이 없는 발견자의 태도, 즉 마음을 열고 사는 사람의 태도로 다시 한 번 돌아오게 되었다.

그것은 사회라는 장기판 위에 특정의 한 네모 칸에 관한 것이었다. 음악가의 가정(젊은 시절 계속 음악을 들었다.), 그리기에 대한 열정, 조형에 대한 동경, 기민함에 대한 열정을 간직했던 사물의 핵심, 즉 조화로움에 다다르려는 성향을 나는 갖고 있었다. 그래서 인생이 당신에게 주는 역경을 통한 수많은 방황은 탐지기 역할을 하고 간헐적 접촉의 기능을 하기도 했다. 당신은 다른 사람들이 길을 가면서 아무것도 보지 못한 장소 여기저기에서 멈추어 본다. 그러다가 어느 날 당신은 발견하게 된다……

나는 발견했던 것에 대해서 자신도 없고, 자만하거나 잘난 체하거나 할 생각도 없다. 나는 아는 것, 확신하는 것에 대해 불안감으로 떨고 있다. 사람들은 나에게 말할지도 모른다. "그게 뭐 별 건가요? 다만 하나의 기회가 당신을 기적의 문까지 데리고 간 것이지요. 당신은 그 앞에 서 있었고 그리고 나서 그 문을 열고 지나간 것이지요. 다른 현명한 사람들도(알긴 알지만 매순간마다 예술과 시적인 감정을 통해 느끼고 감동하고 삶과 일치하지 못하는 종류의 현명한 이들) 사람들에게 도움이 되는 이런 것을 설명하고, 정리하기도 하고, 추구하고, 확장하고, 만들기도 할 수 있을 텐데요."

매일 아침 나는 나 자신에게 되물으며 다음 문제를 반추하고 있었다. '모듈러'에 대한 나의 걱정은 내 직업이 본질적으로 중간에 사람을 통해야만, 열정과 새로운 것에 대한 취향과 동시에 혼란과 소박한 포부를 가진 젊은 사람들을 사이에 두어야만 했다. 그러나 어떤 불행이 나에게 행복을 가져왔다. 18개월 동안 유엔 본부의 기본 설계도를 그린 후에 뉴욕에 있는 미국인들이 나를 파리로 돌아갈 수 있게 허락하고서 나를 다시 부르는 일을 잊어 버렸다. 나는 1947년 7월 이후 파리 세브르 가의 사무실에서 '모듈러'의 응용을 나 자신의 손과 머리로 작업해낼 수 있었다. 작은 것이나 큰 것, 빨리 할 것이나 오래 걸릴 것이냐, 무한한 반향으로 펼쳐졌다. 나는 연필을 가지고 숫자를 다뤘다. 나 스스로 실험을 했다. 그리고 하나의 확신을 얻었다. 내가 생각해왔던 것이 이제 모든 과정이 없어진 단순함의 단계에 도달했다는 것이 충분히 명확해진 것을 알 수 있었다. 그리고 밤마다 겪었던 길고 고통스러운 방황 끝에 나는 드디어 명확하게 볼 수 있었고 유용한 기구의 좋은 유형을 만들어 냈다고 외칠 수 있게 됐다. 앞으로 더욱 발달시키는 것은 그렇게 할 수 있거나 하기를 원하는 누구나가 스스로 하기에 달려 있는 것이다.

* * * * *

나는 내 자유의 여하한 부분이라도 빼앗아 가는 어떤 공식이나 어떤 도구에 대항하여 싸울 것이다. 나는 이 자유를 정말 온전히 누리고 싶기에 황금 수나 다이어그램 선이 완전한 정통적 해답을 주려고 해도, 나는 "그것은 맞을지도 모르지만, 아름답지 않다."라고 불평하는 것이다. 그리고 나는 단호하게 "이것은 내 마음에 들지 않아. 나는 그것을 싫어해. 이것은 나의 기호와 성향에 맞지를 않아. 나는 '내가' 원하지 않는다는 것을 결정할 만큼의 충분한 직관을 갖고 있어."

그러한 결정은 물론 (신성에 너무 가까이 가 있는 관계로 영원히 후퇴를 거듭하다가 결국에 가서는 언제나 뭐가 뭔지 모르게 되는) 수학에 어떤 공격을 가하려는 것이 아니고 '모듈러'를 시험하는 단계에서 문제가 어떻게 다루어졌나 하는 방법에 대한 공격인 것이다. 숫자와 관련 없이 내 해답(내 발명)은 오로지 포기한 채로 남아 있게 될 것이다.

단순한 도구는 물체의 치수를 아는 데 정확한 도움을 준다.

(a) 내적인 역할 : 작품에 조화로움을 가져다주고

(b) 외적인 역할 : 경쟁적이지는 않더라도 적어도 불일치 상태에 있는 사람들의 작품을 종합하고 조화롭게 하고 서로 적응시키는 것.

나는 구체적 사물의 영역 내에 또 인간의 심리-생리적 분야 안에 머물러왔다. 나는 우리의 눈으로 볼 수 있는 범위에 있는 물체들에 관계해 왔다.

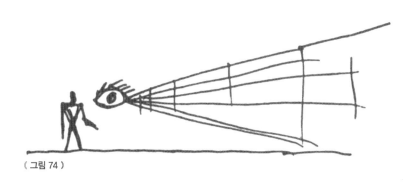

〈 그림 74 〉

이 책의 저술을 맡았을 때, 나는 전체 문제를 상세하게 또 연대기적으로 다시 평가하기 위해 저술을 받아들였다. 그리하여 눈에 띄는 것도 나타나고 원리도 명확해지고, 모든 것이 다른 사람들의 마음에도 접근하기 쉽게 단순해지고 자연스러우며 따라서 공격받기 쉽더라도 더 유효한 수행을 위해서 감내하게 될 것이다.

* * * * *

　마지막 단어를 적고 나서 나는 레이크-썩세스Lake-Success에 있는 유엔 부보좌관이며 장군이자 경제·사회부장인 앙리 로지에르Henri Laugier에게 일이 모두 끝났다고 말했다. 그러나 그의 반응은 즉각적인 것이었다. "미터법이 아닌 다른 척도를 소개하려고 하는 것은 순전히 미친 짓이다."

　'모듈러'는 제품들을 대량으로 만들고 또 통합을 통해서 조화로운 위대한 건축물을 만들기 위해 사용되어야 할 도구 혹은 하나의 스케일과 같은 것이다.

3 부

부록

7장 · 구체적 입증과 종결부

사냥개는 사냥감을 쫓고 발명가는 무슨 낌새를 느낄 때는 의문을 자아내는 모든 것 앞에 정지한다. 여기서는 이러한 일이 어떻게 일어나는지 몇 가지 예를 통해 보도록 하자.

1

샬리의 수도원 Abbaye de Chaalis(파리 근교)

1948년 여름, 나는 폐허가 된 13세기 시토 교단의 수도회Cistercian 앞에 있었다. 현관문(아마 내가 기억하기로 교회의 날개 부분일 것)의 훌륭한 비례가 나를 감동시킨다. 나는 이 폐허를 찍은 사진엽서를 샀다.

(그림 75)

나는 엽서 뒷면에 이렇게 썼다.

'1948년 6월 12일 일요일 에르메롱−빌Ermenonville에서, 나는 폐허가 된 샬리 수도원으로 들어갔다.' 나는 주머니에서 모듈러를 꺼낸다. (A)의 치수, 정확하게 226. (B)의 폭을 측정해보니 226이었다! (C)를 측정하니 226+140=366! 나는 만족하고 가다가 생각해보기 위해 잠시 멈췄다. 200미터를 지나온 뒤 나는 내 자신에게 말했다. 너는 문의 폭을 재는 것을 잊어버렸다고. 발걸음을 돌려 다시 재보니 (d)는 113이었다! 실로 만족하면서 돌아간다. (교훈: 황금비가 이용되고 있었다. 6피트=182cm의 인간의 키를 기준으로 하고 있었다.)

〈 그림 76 〉

2

이집트

1948년의 가을, 나는 이집트를 생각했고, 그들의 우아함, 엄격함, 어디에도 없는 확실함을 갖는 예술을 생각했다. 나는 규스타브 르봉Gustave Lebon의 『최초의 문명*The First Civilizations*』이라는 책을 열었다. 425페이지에 아비도스Abydos에 있는 세티Seti 1세 신전의 얇은 부조가 복제된 사진이 있었다. 측정법은 인간의 신장에 기본을 둔 피보나치의 일련의 수와 일치하는 것 같았다. 책에 수록된 그림은 원본에서 가져온 많은 수치를 밀리미터로 표시하고 있었다.

그들 사이의 관계는 의미가 있다. 피보나치 군의 a, b, c가 있다. d와 d의 값은 정확하게 상형문자 중앙에 있는 작은 원반의 위치에 온다. 이 작은 원반은 곧 나의 눈에 띄었다. 어디서든지 d+d는 f와 e에 따라서 확증되었다.

a=15   P : 2=Φ
b=24
c=39
d=39
e=78
f=78

〈 그림 77 〉

3

10월 3일 나는 비행기로 이스탄불에 내렸다. 다음날 위트모어Whittemore 교수는 소피아 성당St. Sophia에서 나를 맞았는데, 거기에서 젊은 고고학자들이 이미 수 세기동안 흰도료의 두꺼운 층에 파묻혀 있는 모자이크 연구를 하고 있었다. 우리는 교회의 회중석에 걸린 난간 앞에 위치한, 땅에 묻혀 있는 검은 대리석으로 된 큰 원반이 있는 지점에서 트리포리엄 triforium(교회에서 측량 상부의 아치와 고창과 사이) 근처에 서 있었다. "여기가 져스티니안Justinian 황제 자리이다." 대리석으로 만든 아름다운 조각이 있는 이 난간은 나의 마음을 사로잡았다. '모듈러'를 꺼내 재보았다. 정확히 113cm.

《 그림 78 》

4

1시간 후에 우리는 오래된 비잔틴 마을의 카리아Kahrie 교회에 왔다. 여기는 모자이크로 유명하지만 터키도 아끼는 곳이었다. 성당의 평문 안에 있는 현관의 폭이 아름답게 느껴진다. 거기서 만난 프랑스 외교관의 도움으로 '모듈러'를 대어본다.

폭 A=226 +113=339.

（ 그림 79 ）

5

　다음 토요일 이즈미르Izmir에서 돌아와 다시 이스탄불에 머물렀다. 이번에는 그랑 세랄이오Grand Seraglio 출입구가 나의 관심을 끌었다. 그 문은 보스포르Bosphorus, 마르마라Marmara와 골든 혼Golden Horn의 바다가 만나는 지점에 펼쳐지는 꿈같은 경치인 정자kiosk와 아름다운 식물들 속으로 예전엔 회교국 군주Sultants와 그의 후궁들을 피신하게 했던 벽이 있는 언덕을 향해 열린다.

（ 그림 80 ）

　출입구 자체 226+70=296 (Modulor의 3배에 해당됨) :

　측면에 붙은 벽감은 2.23미터에 불과하다.

　유럽 터키와 아시아 터키에서 8일 동안, 나는 일을 하면서 터키 측정법에 대해 조사를 했다. 그 측정법이 뛰어나고 훌륭한 건축(이스탄불, 브루사 등)을 낳는 데 도움이 됐다.

건축의 1 지라$_{Zira}$= 24   파르막$_{Parmaks}$(치수)=24×12

핫$_{Hats}$(선)=288×2녹타$_{Noktas}$(점)=0.75774m.

환산 : 1 지라   =0.758m

　　　　1 파르막=0.031m

　　　　1 핫　　=0.0026m

　　　　('모듈러'는 0.70m

　　　　　　　　0.03m

　　　　　0.0025m을 제공한다.)

그랑 세라일의 문 : 4지라$_{Ziras}$=4×758=303.2 ('모듈러'도 296이 된다.)

마지막으로 : 1클락$_{Kulak}$(팔을 크게 벌린 사람)=2½ 지라$_{Ziras}$: 188(모듈러는 182)

6

아토스 산Hagion-Oros, Chalcidium. 에게Aegon 해에 있는 이 반도는 기원전 800년부터 부분적으로 비잔틴 문화의 피난처를 제공해왔다. 당시에는 수도원, 현재에는 그 수도원의 도서관과 교회들의 그림들이 보호되었던 곳이다.

이 짧은 터키 여행에서 돌아온 나는 1910년 여행 수첩 안을 다시 들여다보았다. 당시 학생이었던 나는 7개월 동안 배낭을 메고 동양으로 의미있는 여행을 했다. 그때 많은 것을 배웠다. 내 바지에는 2m 자를 넣기 위한 특별한 주머니가 있었다. 그 무렵 나는 치수를 잘 볼 필요가 있음을 이미 느끼고 있었다. 내 스케치에는 치수가 많이 기입되어 있다. 오늘날 그것을 다시 읽어보니 차후에 겪었던 체험들이 나에게 가르쳐준 것과 같은 주도면밀함이 적용되지 않았음을 명확히 알게 됐다. 1910년에 내가 측정한 것들을 표시해놓은 것에 불과한 것이다.

필로퇴우Philoteou의 수도원. 《그림 81》

	모듈러 I (1.75m를 기본으로)	모듈러 II (1.82m를 기본으로)
1.45m		1.40
2.20m	2.16	2.26
2.10m		
3.40m	3.50	3.66
3.70m		
4.10m	4.58	
4.15m		
4.20m		

7

폼페이(1910년 여행공책). 《그림 82》

포럼의 사원Temple of the Forum

	모듈러 I (1.75m를 기본으로)	모듈러 II (1.82m를 기본으로)
1.05	108	113
1.20	108+11=119	
1.65	134	104
1.75	175	
1.85	175	183
3.70	350	366
12.00		12.53
15.00		
16.00		15.50

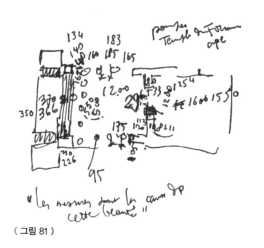

《 그림 81 》

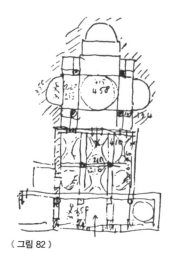

《 그림 82 》

까사 델 노체 다르젠토Casa del Noce d'Argento. 《그림83》

	모듈러 I	모듈러 II
300		296
400	350+50	366+33
460	458	478
640		592+53
12.20		12.54
16.00		15.50

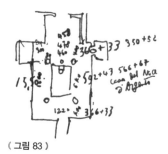

《 그림 83 》

폼페이(계속해서). 《그림 84》

(1) 아폴로 사원Forum의 성상 안치소Cella

	모듈러 I	모듈러 II
114		113
146		140
570	556	591
810		775+33

(2) 받침대

9		10
15½	15	16.4
28		27
130	134	140
142		142

(3) 욕탕

210		
210		
220	216	226

(4) 샘의 접시

	모듈러 I	모듈러 II
35	30	33
40	41	43
70	67	70
85	82	86
102	108	113
260		226+33
520	566	591

(5) 오목한 연못

21	20	22
43½	41	43
53		53
75		70
265	283	296
315		366

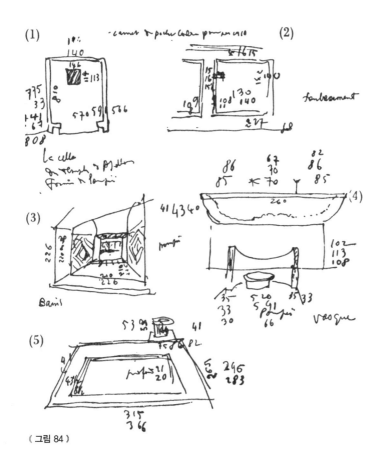

《 그림 84 》

4, rue de Lille (VIIe),
Paris, le 4 Décembre 1948.

Cher monsieur

    Ce n'est que maintenant, en rentrant à Paris, que je suis en mesure de répondre à votre lettre du 13 Octobre.

    Voici les dimensions en mètres de certaines parties de Sainte-Sophie qui vont vous intéresser:

Balustrade du gynécée.- Le diamètre du disque noir, au sol, devant la balustrade est de 132 cm. La hauteur de la balustrade indiquée par vous est de 113 cm.

Nef.- **Sens Nord-Sud:**
Largeur des piliers : 3.32 m.
Portée de l'arc entre les piliers : 32 m.

Sens Est-Ouest:
Longueur des piliers : 4.65 m.
Portée de l'arc entre les piliers : 22.6 m.

Narthex.- Largeur du Narthex : 9.80 m.
Largeur de la porte Nord : 2.90 m.(maximum)
2.68 m.(minimum)

Largeur de la porte Sud: 2.90 m.(maximum)
2.57 m.(minimum)

    Je joins une carte d'invitation pour l'exposition de la copie du Panneau Jean II Comnène dont vous avez pu voir l'original.

    J'espère que vous trouverez un moment pour visiter la Bibliothèque de l'Institut Byzantin avant mon départ de Paris pour Londres et les Etats-Unis le 13 Décembre.

    Croyez, Cher Monsieur, à mes sentiments dévoués.-

Thomas Whittemore

（ 그림 85 ）

200

〈그림 85 번역〉

4, rue de Lille(77(")),

Paris, 1948년 12월 4일

선생님께

이제 파리로 돌아와서 당신이 10월 13일자로 쓴 편지에 답할 수 있게 되었습니다. 당신의 흥미를 끌었던 성 소피아Saint-Sophia의 일정한 부분을 미터법을 사용해 치수를 잰 것은 다음과 같습니다.

규방gynaecaenm의 난간—난간 앞의 마루에 잠겨있던 검은 색

원반의 지름은 132cm입니다. 당신이 말했던 난간의 높이는 113cm입니다.

네이브Nave(본당회중석)—북쪽—남쪽 방향

기둥의 둘레 : 3.32m

기둥의 길이 : 4.65m

기둥 사이의 아치의 거리 : 22.6m

나르텍스(Narthex : 성당 정문 안의 입구)

나르텍스 폭 : 9.60m

북쪽 문의 폭 : 2.90m (최댓값)

2.68m (최솟값)

남쪽 문의 폭 : 2.90m (최댓값)

2.57m (최솟값)

당신은 원본을 보았겠지만 존 코멘니우스 2세John Comnenius II의 복사판 전시회의 초청장을 동봉해 보냅니다.

내가 12월 13일에 런던과 미국을 향해 파리를 떠나기 전에 비잔티움 연구소의 도서관을 방문할 수 있는 시간을 갖기를 바랍니다.

당신의 성실한 제임스 위트모어

Paris, le 10 Décembre 1948

Monsieur le Professeur WITTEMORE
Institut Byzantin
Haghia Sophia
ISTAMBOUL   (Turquie)

Cher Monsieur,

J'ai bien reçu votre aimable lettre du Décem-
bre et vous en remercie vivement. Je m'efforcerai de ve-
nir vous voir avant votre départ pour l'Amérique, mais je
suis dans une période extrêmement remplie en ce moment-ci.

Je vous donne, à titre de curiosité, la répon-
se du "Modulor" à vos chiffres :

$$1,13 = 1,13$$
$$1,32 = 1,13 + 0,203 = 1,33$$
$$3,32 = 1,13 + 2,26 = 3,39$$
$$32,00 = 32,81$$
$$4,65 = 4,787$$
$$22,6 = 20,28$$
$$9,60 = 9,57$$
$$2,90 = 2,959$$
$$2,90 = 2,959$$

Croyez, Cher Monsieur, à mes sentiments les
meilleurs.

(그림 86)

202

〈그림 86 번역〉

Monsieur Le Professeur WITTEMORE

Institut Byzantin

Haghia Sophia

ISTAMBOUL (Turquie)

선생님께

당신이 12월에 보낸 편지에 대해 진심으로 감사드립니다. 나는 당신이 미국으로 떠나기 전에 당신을 보기 위해 최선을 다하겠습니다만 지금 현재는 매우 바쁜 시기입니다.

당신의 숫자에 대해 '모듈러'의 회답을 보내드립니다.

$$1.13 = 1.13$$
$$1.32 \approx 1.13+0.203 \approx 1.33$$
$$3.32 \approx 1.13+2.26 = 3.39$$
$$32.00 \approx 32.81$$
$$4.65 \approx 4.787$$
$$22.60 \approx 20.28$$
$$9.60 \approx 9.57$$
$$2.90 \approx 2.959$$
$$2.90 \approx 2.959$$

안녕히 계십시오.

르 코르뷔지에

9

대학기숙사의 스위스관, 파리, 1930~32 Swiss Pavilion of the Cité Universitaire, Paris, 1930~32.《그림 87》

우리의 손으로 만들어진 것이지만, 시 조례의 독단과 엄격함에 따라야 했다. 1948년 9월에 나 자신이 그린 도서관의 굴곡된 큰 벽에 그린 벽화 속에 단순히 직관에 의한, 미리 고려되지 않은 수학적인 내용을 찾아냈다.

140 −226

366 (약 2 × 182에서 출생)

이 굴곡된 벽을 벽판과 벽을 덮은 조각들과 나란히 할 때 그림을 벽과 지붕과 구분하기 위해 남아 있는 물건을 사용해서 140+140+70의 숫자를 채택하는 것이 가능해졌다.

10

1948년 9월에 현장 작업에서 스케치를 벽에 옮겨 그렸고, '모듈러'의 값과 연관이 지어졌다. 모형은 17½cm와 55cm였다. 벽은 3.50m×11m이다. 그림은 '정사각형'으로 그려지지 않고 몇 개의 표시가 세로 좌표, 가로 좌표로 채택될 뿐이었다. 이 좌표가 '모듈러'로부터 만든 것이었다(조화의 법칙의 간단한 결과에 따라서). 33+45+53+70+113+140+182+226 등.

11

화물선

이즈미르와 이스탄불 사이의 비행기에서 내 옆에 있었던 사람은 젊은 터키 선박 수송 기술자였다 그는 앞으로 고텐버그Gothenburg에 갈 것이라고 했으며, 국가를 위해 화물선을 받으러 가는 중이라 했다. 나는 물어보았다. "화물선을 만드는 데 갑판 사이 자유공간을 결정하는 표준 높이가 얼마나 되나 말해 주시겠습니까?", "두 갑판 사이의 자유로운 표준 높이는 2.26m입니다.". 나는 계속해서 다음과 같이 물었다. "이것을 그림으로 설명해주실 수

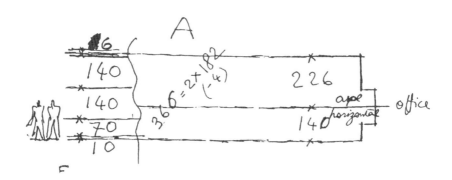

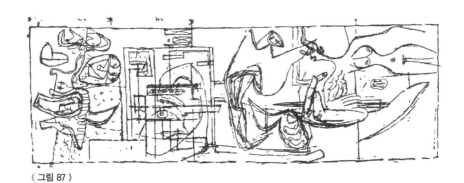

《 그림 87 》

있습니까?", "여기 있습니다. 아울러 똑같은 것이 여객선, 즉 선실 등을 만드는 데에도 적용된다는 것을 덧붙여서 말하고자 합니다."

일반적으로 경제성과 편안함을 추구하는 노동 작업은 현대의 조선업자들로 하여금, 친숙함과 안락함을 만들어내고 '작은 아파트'에서 여자들의 요구를 들어주기 위해 노력했던 17세기의 건축들과 같은 선상에 있게 만들었다. 《그림 88》

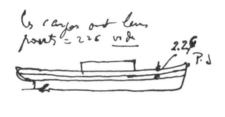

《 그림 88 》

12

철도 객차

　사람을 싣기로 한 것은 사람의 크기에 맞추어져야 한다.

　나에게 또 다른 풍부한 수확이었다.

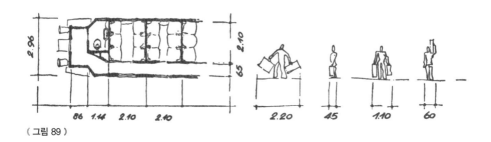

《 그림 89 》

13

파르테논

　1948년 10월. 내 손 안에 우연히 특별한 자료가 들어왔다. 그것은 발라노스_{Balanos} 씨가 1923~1931년에 아테네에서 만든 원화의 사본에서 파르테논 건축에 사용된 대리석 덩어리들의 하나하나를 엄격하게 측정하여 얻은 것이었다. 기단, 기둥, 엔터블러처 등.

　이 치수들의 검토는 천 가지의 다른 결론을 도출할 것이다. 마구 자르거나 무미건조한 어떤 것이나 너무 단순화된 것은 전혀 찾아볼 수 없었다. 대형 종이 20장이 넘는 그림들을 처음으로 보자 '모듈러 I'(1.75m, 108~216의 높이에 기본을 두고 있는)를 연상하게 됐다. 그리스인들은 확실히 앵글로 색슨이나 바이킹 족보다 키가 작았다. 이러한 상황에서 위의 숫자들은 확신감과 활력소를 주면서 나를 즐겁게 했다.

파르테논 신전은 모든 색조가 만나는 장소이며 하나의 위대한 기념비와 같은 것이다. 그것은 그저 건물에 그치는 것이 아니라 진정한 조각이다. 그런데 아크로폴리스 언덕의 경사와 아테네의 빛의 농도 때문에 '시각교정'을 할 수 있는 숫자가 많다.

그리고 익티노스Ictinos와 칼리크라테스Callicrates와 피디아스Phidias가 우리의 손가락 사이로 미끄러지기 시작하는 곳에서 기둥의 크기를 쟀는데, 그 치수가 정확히 10,000m에 해당되는 것을 발견했고, 예상한 대로 1793년의 프랑스 국민 의회를 기념한 것은 아닌가!

반복하면 파르테논 신전은 히메트스Hymettus 산, 펜텔리쿠스Pentelicus 산, 피레Piraeus와 섬들을 포함한 조경에 새겨진 위대한 조각이며, 본질적으로 필연적으로 수에 따라 조직된 건축물과는 다른 것이다. 예를 들어 성당(볼트와 플라잉 버트레스)이나 에펠Eiffel탑, 더 간단하게는 마르세이유의 주택 단지(치수들의 조직적 의미)처럼 숫자를 반복하여 만든 건축물이 아닌 것이다.

14

페루의 도시 계획, 1948년

C1AM[27] 세계 협의회 의장인 조세 루이 세르José Luis Sert는 9월 13일 뉴욕에서 나에게 이렇게 적었다.

'리마Lima를 위한 도시 계획 일을 하면서 나는 '모듈러'를 시험해보았습니다. 얼마나 멋있었던지! 도시 계획이나 큰 규모 설계에서 '모듈러'는 값진 도움이 되었습니다. 그 덕분에 규칙적인 높이, 치수를 정할 수도 있고 용적 제한도 할 수 있으며, 또 그렇게 함으로써 도시 계획의 기초를 다질 수 있을 것입니다. 이런 정도의 것이 이전에는 결코 존재하지 않았을 것입니다. ……'

---

[27] International Congress of Modern Architecture, 1928년 Sarraz(스위스)에서 창설됨

파라오A Pharaoh

람세스Rameses 2세는 기준선의 존재를 확증했다.

여기 내가 다시 그린 그림《그림 90)은 구스타브 르봉Gustave Lebon의 책 『첫 번째 문명들』에서 뽑아낸 샹폴리옹Champollion 그림의 치수를 밀리미터로 표시한 것이다. 독자들은 수 사이의 관계를 관찰하게 될 것이다.

《 그림 90 》

1948년 파리의 마들레느_{Madeleine} 대로에 세워지기로 계획된 상점BALLY의 정면
3개의 구멍이 뚫린 철판을 덮었다. 그 구성은 매우 다양하다.

> a=113 S.r.
> b=226 S.r.
> c=86.3 S.b.
> g=26.6의 반 S.r.=13.3
> d=140 S.b.
> e=86−g(13) S.b.=73
> h=43 S.r.
> i=113−g(13) S.b.=100

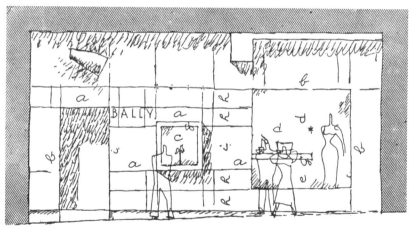

《 그림 91 》

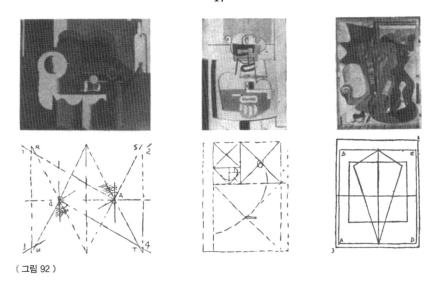

（ 그림 92 ）

회화의 구성을 완성하게 하는 데 도움을 주는 기준선

여기에 표시한 선은 1911년에 내 건축 작업과 1919년 내 회화에 도입한 기법의 증거 자료로 준 것이다. 특히 1920년의 2 작품 중 하나는 라 로슈La Roche 컬렉션에 다른 하나는 뉴욕의 현대 미술관에 있다. 여기에 나타난 최초의 1선은 A에서 '직각의 꼭짓점 위치'를 표시하고 있다. 이것이 자연스럽게 1942년, 22년 후에 모듈러 탐구의 출발점이 된 것이다.

2선(윤곽그림)은 1929년의 그림에서 로그 소용돌이를 바탕으로 한 것.

3선(윤곽그림)은 사각형과 오각형을 포함하고 있다.

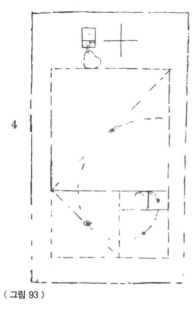

4

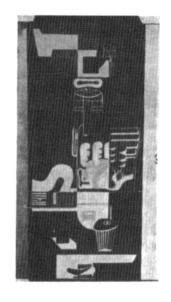

《 그림 93 》

여기는 주의를 필요로 한다. 구석에서 시작하지 않고 빈 공간(특히 윤곽그림 2), 즉 두변 M 과 N을 남겨놓은 것이다. 윤곽그림 3에서는 1, 2, 3, 4 사이 또 A, B, C, D 사이처럼 빈 공간이 도처에 있다. 미리 언질을 받지 않은 미학도는 화폭의 네 귀퉁이에서 시작하는 기준선들의 자취를 이 그림들 안에서 찾으려고 노력할 것이다. 그러나 그는 실패하거나 자기의 결론을 궁리할 것이다.

나도 30년 이상 기준선을 사용해왔으나 여러 해가 지나고 기억이 희미해지기 시작하자 《그림 94》에서 본 것같이 미리 예견을 해서 기준이 되는 점 2, 3을 찍어놓지 않으면 10년 내지 30년 전으로 거슬러 올라가는 작품에 있는 기준선들을 찾을 수 없었을 것이다.

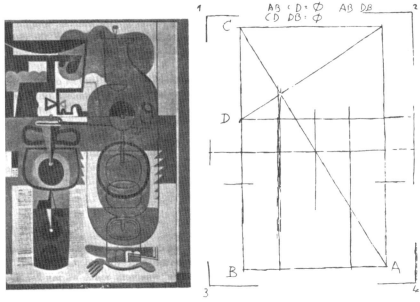

《 그림 94 》

3(윤곽그림)에는 직사각형 Φ(파이)가 있고, 4(윤곽그림)에는 조화롭게 증가하는 해시계 모양이 있다.

둘 다 기준선에 잘 맞는 큰 공간을 남겨놓고 있다. 견고한 기하학 법칙에 기초를 둔 그림 4에서 화가는 좀더 작은 규모로 기준선을 다시 만들어보았다. 그러나 그는 그것을 다른 것으로 보충했는데, 그렇게 함으로써 그가 무엇보다 조형가로서 자신의 판단과 안목을 지키지 않는다면 자신이 짊어져야 할 위험에 대해 지적하고 싶다. 《그림 93》

윤곽그림 3은 또 다른 함정을 지적하고 있다. 즉, 사진작가가 사진판 위에 노란 산화물의 자국을 낸 것이나, 사진사의 유리판 주위에 붙인 종이틀이 그것이다. 이렇게 함으로써 그림 형식의 통합성은 없어지게 되고 다시 한 번 전문가는 제멋대로 하게 된다.

그림에 대해 일하는 사람, 사진사 등은 마구 잘라버림으로써 종종 불확실함과 부정확함을 만들어낸다. 이것은 자주 일어나기도 하는데, 그러면 독자들만 바보가 되는 것이다.

18

그림에서부터 마천루까지 (그림 95)

나는 1938년 마을과 지역의 현대적 도시 계획을 위해 한판 승부해온 알제리에서 돌아왔다. 곧 건립되는 업무도시 마천루가 내 마음을 사로잡고 있었다. 내 화실 문을 열고 들어서면, 내 관심은 1931년 화폭에 직접 그려진 기준선에 매료된다. 내 마음의 방아쇠가 제거된다. 이것이 1930년 이래 지난 8년 동안 생각해왔던 알제리 풍경 속에 알맞는 마천루 비례의 틀이었다. 8년 동안 나는 데카르트적 마천루 이론의 발판을 마음속에 통합하고 있었다. 그것은 이성을 잃은 뉴욕이나 시카고의 마천루에 대립하는 것이었다.[28] 내부의 생리, 구조, 일반적인 태도 등에 대해 오늘날 한꺼번에 아이디어가 개화했다. 비례 통일, 변화, 리듬. 절벽 쪽 한편에는 수직의 대들보가 가깝게 서게 될 것이고, 바다를 향한 다른 편에는 건축 공간이 넓어져 더 장대해지고 더 장엄해질 것이다.

---

[28] 성당이 하얄 때(Quand les Cathedrals étaient blanches), 미국여행, 1935. Plon, Paris.

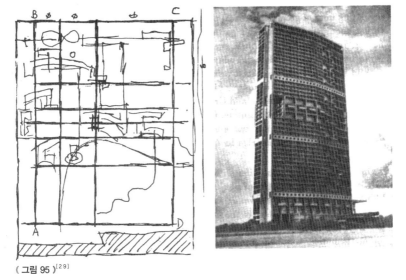

《 그림 95 》[29]

주제는 끝이 없다. 이날 저녁 마지막으로 몇 페이지 쓰는 것을 다 마치자 내가 읽던 것에서 새로운 콘크리트 지붕의 생각을 얻을 수 있었다. 헨리 칸웨일러 Henry Kahnweiller 씨는 나에게 쥬안 그리스 Juan Gris에 대해 쓴 훌륭한 책[30]을 보냈다. 나는 운이 좋게 그의 친구가 되기도 했는데, 그는 기하학적이고 위대한 힘을 가지고 있는 선험적 기준선에 기초를 두어 그림 속에 기타, 과일 접시, 잔, 병, 과일 등을 짜 넣은 그림들을 만들어냈다. 모든 사람들 가운데 쥬안 그리스는 그림의 예술(예술=행위의 태도)에 공헌도가 가장 높은 사람이다. 오늘날 그는 모든 의혹을 넘어서 가장 강하고 가장 높은 위치에 있는 입체파의 예술가가 됐다. 칸

---

[29] 노트 : 그림 92, 93, 94, 95에서 기준선은 반대로 되어 있다. 읽은 이들은 쉽게 오른쪽과 왼쪽을 바뀌어볼 수 있을 것이다.

[30] 『쥬안 그리스, 그의 생활, 그의 작품, 그의 글』, Gallimard.

웨일러의 책(350페이지의 큰 책)은 우리 시대에 쇠라Seurat, 세잔느Cézanne, 그리스 등이 보여주는 그림의 특유한 현상에 대해 적고 있다. 그리스는 선험적인 것을 기하학적으로 만들었다. '그리스에게는 구속복(죄수들이 입는)이 아닌 마음껏 뛸 수 있는 도약판(다이빙할 때)이 필요하다. 그는 (분명하게 우연히) 그것을 발견하면서 계산도 몰두하지 않으며, 디바이더dividers도 사용하지 않았다.'

서적 내 다른 페이지에서 칸웨일러는 다음과 같이 썼다. "그리스의 시도는 그것을 채택한 화가의 손과 정신에 묶여 있을 뿐이지 학자인 척하거나 속이 빈 어떤 방법의 관계는 결코 아니었다. 그런 좋은 예로 세루지에르Sérusier가 1897년에 다뉴브의 상류 마을, 호헨조렌 지방에서 얻은 '계시'가 있다. 계시는 '완전한 새로운 미학, 새로운 종교의 전통주의자로 수학, 수와 기하학을 기반으로 한 미학 이론이며, 위대하고 번영하는 베네딕트학파 베롱Beuron의 가르침 이론'이다. 그러나 베롱의 이론은 많은 수의 화가들에게 신비적 방법으로 혹은 그들도 모르는 사이에 영향을 미쳐왔다. 특히 나는 몇몇 소장파와 입체파, 즉 순수주의자Purist로 남아 있는 잔느레Jeanneret와 오장팡Ozenfant과 '추상예술Abstract Art'의 주창자들을 예로 들고자 한다. 이 '예술가'들은, 베롱이나 세뤼지에르Sérusier와 같이 계산할 수 있는 '아름다움'을 모두 믿고 있었고, '아름다움'은 수학적인 방법으로 만들어질 수 있다고 믿었다.……"

위에서 언급했던 쟈네레는 나 자신을 말한다.[31] 현재에 증인은 있다. 나는 '베롱'이란 단어가 1922년이나 1923년에 언급되는 것을 들었다. 그러나 나는 가진 마음을 내색하지 않거나 혹은 정반대의 학생이었다. 나는 베롱에 대해 한 조각의 호기심도 가진 일이 없다. 반대로 나는 그 장소에 대해 본능적으로 의심을 가졌다. 내 인생은 개인적 관찰로만 세워져 왔다.

나는 하나의 질문을 하고자 하며, 이 질문은 우리를 이 책의 결론으로 이끌 것이다. 영혼

[3 1] 1918년에서 1928년까지의 내 첫 번째 그림들은 JEANNERET으로 서명됐다.

의 즐거움을 위한 시각 작품은 간단히 말해서, 일정한 형태를 취하며 분할된 표면, 구멍과 돌출부를 이용했다. 조화와 그 반대로 배치된 특정 요소들은(나는 건축과 그림을 말하는 것이다.) 작품이 과연 기하학과 수학적 관계들을 고려할 권리가 있는 것인가? 이러한 질문은 다만 예술의 호화로운 매매에만 적용된다. 이런 맥락에서 그런 문제는 건물 부지나 대량생산, 제조품들과는 관계하지 않고, 직업에서의 용어로, 조형 예술로서 알려진 것에만 관계한다.

대답은 물론 긍정적이다. 그것은 사물의 질서 안에 있다.

구성의 기초와 즐거움의 마지막 접촉은 처음에도 중간에도 혹은 마지막에도 생길 수 있다.

언제 아이디어가 생기는가? (소위 '영감'이라고 하는) 연필을 들기 전인가 아니면 연필을 잡고 있을 때인가? 이것은 개인의 문제, 상황, 다양한 조건, 일, '영혼의 문제' 간단하게 말해서 행위 문제이다. 칸웨일러는 그의 마음을 결정했다. '그리스Gris는 구속복이 아니라 도약판이 필요하다.'

예술에 법칙이란 없다. 다만 아이디어의 모순을 해결하려 하는 해결책에 따른, 또 감정과 과정들이 갖는 물리적 성질 등에 따른 성공이나 실패만이 있을 뿐이다. 예술 작품이란 믿을 수 없고, 생각할 수 없고, 묘사할 수 없는 내적 투쟁이 구체적 형태로 마지막에 나타나는 것이다. 수학이란 색, 가치, 그림, 공간과 같아서 균형과 불균형, 분노 또는 고요함과 같은 동등한 위치에 있는 모든 구성 요소 중의 하나에 불과하다.

나는 예술을 위해 다양함에 대한 권리를 주장한다. 나는 예술을 위해 색다른 것, 결코 보지 못한 것, 결코 생각할 수 없는 것을 만들어내야 할 의무를 인정한다. 나는 예술에서 도전자의 역할을 요구하고 작용과 반작용의 역할을 요구하다. 영양이 직경이 2센티미터 되는 발목에 지탱되는 발굽으로 바위와 바위 사이를 엄청난 비거리로 뛰면서 자신의 몸무게를 지탱하는 것, 그것이 도전이며, 그것이 수학이다. 수학 현상은 일상생활에서 잘 쓰이는 간단한 대수에서, 또 신의 무기인 숫자들에서 항상 발전한다. 신은 벽 뒤에서 숫자들과 놀고 있다.

그러나 가로를 건널 때도 느끼며, 종교의 진정한 사실인 이러한 근본적인 진리를 말할 때에도 고양되거나 도취된 태도를 취할 필요는 없다. 종교의 적나라한 사실과 대면했을 때 까치발을 하고 걷거나, 편협과 믿음을 갖는 것은 그저 어리석은 일일 뿐이다. 말은 그저 말이다. 그것은 지적을 한다. 다행히 세상에는 모든 사람들에게 관련되지 않는 일들이 있다. 그러나 조화는 모든 사람들의 동의를 끌어낸다. 그리고 여기서 '누구나'란 단어는 다만 보편적으로 존경할만한 사람들을 가리키는 것이다. 그러나 이런 특수한 경우에 그 훌륭한 사람이란 누구를 말하는 것인가? 다시 한 번, 자연은 통일된 가운데 무한한 다양함을 제시하고 있기 때문에 나는 그렇게 많은 다양함이 우리의 능력 범위 안에 있게 되어서 행복하다고 말하고자 한다.

이 책에서 나는 하나의 도구, 즉 제도대 탁자 위에 연필, 삼각자, T자와 같이 나란히 놓여지는 '모듈러'라는 도구에 대해 말했다. 그렇다면 T자와 삼각자는 사고나 상상에 반하는 것인가? 논쟁하지도 말고 논란에 빠뜨리지도 말라.

내가 마무리하기 전에 두 학파의 표현이라고 해야 할 두 가지 사실을 정확하게 표현하는 일만이 나에게 남아 있다.

19

자와 컴퍼스

뽈 끌로델Paul Claudel의 '마리에게 계시L'Annonce faite à Marie'란 작품에서 인용해보기로 하자.

- 나는 그가 구석에서 그림이나 그리던 우리 중의 하나를 어떻게 처벌하였나를 기억한다. 그는 그 친구로 하여금 석수장이들과 발판을 만들면서, 온 하루를 보내게 하고 그들에게 운반통이나 돌을 운반하면서 그들을 봉사하게 했다.
- 그러면 그는 말하기를, 그 친구는 해가 저물 무렵이 되면 자게 될 텐데 그때에는 설계하는 것 말고 두 가지 사실을 더 잘 알게 될 것이다.
- 사람이 운반할 수 있는 무게와 자신의 키가 그것이다.
- 아울러 신의 은총이 당신의 모든 좋은 행위를 배가시키듯이, 그렇게 그는 자신이 '사원의 돈Shekel of the Temple'이라고 부르는 것과 신이 머물러 개인 각자가 할 수 있는 것을 하게끔 가르쳤다.
- 그의 몸은 신비스런 토대와 같았다.
- 엄지손가락, 손, 팔꿈치, 뻗친 팔, 또 팔이 그리는 원은 무엇인가?
- 그리고 발과 발걸음은 무엇이란 말인가? 그런데 이것들은 왜 한결같이 똑같지 않은가?
- 당신은 늙은 노아가 방주를 만들 때 신체에 대해서는 전혀 신경을 쓰지 않았다는 것을 믿는가? 그것은 무관심의 문제인가?
- 문과 제단 사이는 몇 발걸음이 될까, 눈을 치켜뜰 때 그 높이는? 교회는 얼마나 많은 영혼을 거둘 수 있는가?
- 이단적인 예술가는 바깥으로부터 작업하고 우리는 벌처럼 안에서부터 작업한다.
- 그리고 영혼이 육체에 대해 하듯이 어떤 것도 둔하지 않다. 모든 것은 살아 있다.
- 모든 것은 은총의 결실이다.

나는 이 문장을 인용하기 전에 이 책에서 함정과 기쁨, 또 시가 갖고 있는 속임수를 피하기 위해 오랫동안 주저했다.

그러나 끌로델Claudel은 계속한다.

– 시장 : 작은 사람이 말을 잘한다.

– 노동자 : 주인의 말을 재잘거리는 까치와 같은 말을 들어보시오.

– 견습공 : 삐에르 드 끄라옹에게 존경을 품고 말하라.

– 시장 : 그가 헤임Rheims의 중산 계급인 것은 사실이오. 그들은 그를 컴퍼스의 거장이라 부르지요.

– '한때 메시르 로와Messire Loys를 자의 거장이라 불렀듯이'

컴퍼스의 거장, 자의 거장, 이들은 다른 두 사람이며 같지 않은 두 존재이다. 나는 자나 컴퍼스와 같은 용어가 아무런 이유도 없이 그렇게 쓰여졌다고는 생각지 않는다. 그것들 속에 또는 그것들의 이면에는 의미가 있다고 생각한다. 나는 그 의미를 알지 못한다. 우리의 노력을 많이 기울인 이 시점에서 우리는 순진무구함의 사촌과 같은 무지로부터 다시 한 번 이익이 되는 것을 끌어내야 할 것이다. 조금 더 명확히 보도록 하자.

지난 여름 내가 마른Marne 강가에 있는 정원식 카페에서 페르노 씨 술값을 지불할 때 나의 눈은 점원이 나에게 건네 준 50프랑짜리 지폐에 있는 그림에서 떠나지 못하고 있었다. 그것은 르베리에M. Leverrier 씨 판화인데 건축가인 망사르Mansar가 손에 컴퍼스를 들고 자신의 걸작인 파리 천문대를 배경으로 하고 있다. 그 판화는 가장 순수한 '보자르Beaux Arts' 형태였으며, 나는 '보자르식 건축'에 대해 생각해보기 시작했다. 그리고 수첩에 다음과 같이 적었다.

"…… 건축의 저주는 컴퍼스이다. 코페르니쿠스Copernicus가 사용한 컴퍼스가 아니고 측정이나 치수에 무관심하고 1m, 100m와 1km의 구별도 하지 못하여, 뼈나 살도 없고 생명이나 피도 없는 보자르에서 컴퍼스를 말하는 것이다. 단순히 진행만을 시키거나 첨가시키거나 같은 것들을 나열만 한다거나 온기 없이 정확성만 기하고 있는 것이다. 그러나 진정한 척도란 하나의 평가이고 판단이며 논쟁이나 실험을 통해 생겨나는 하나의 받아들임인데, 이것은 반사 능력이나 논증을 활용함으로써 얻을 수 있는 것이다. 그것의 힘이 직접적인 범위 내에 있는 모든 것에 전달되기 위해서는 측정이 눈으로, 손 사이에서, 또 쭉 뻗은 팔 사이에서 평가한다. 그것은 2.26미터의 '모듈러'이거나 접는 미터자나 2미터짜리 자이어야 한다. 그리고 그 이상은 우리의 머릿속에서 평가하는 것이다. 그것은 올바로 이해되어야 한다. 그러면 정신의 긴장이 생기고, 일이 팽팽해지고 우리의 감각에 대해 컴퍼스의 진부한 계산법보다 더욱 어렵고 무서운, 지적이고 강렬한 행위에 대한 관계가 설정된다. ……"

그런데 또 다른 컴퍼스로 삐에르 드 크라옹Pierre de Craôn의 것이 있다. 기하학자의 컴퍼스, 즉 점 사이를 마음대로 결정하고 이을 수도 있는 컴퍼스, 또 기하학을 이용하는 데 능숙하고 상징과 형이상학의 끝이 없고, 위험한 즐거움을 향해 열어놓아 어떤 때는 해결책을 가져오는, 영원을 향하는 닫힌 원을 그릴 수 있는 것이 그 컴퍼스이다. 컴퍼스는 손을 인도하는 영혼의 본성에 의존하는 위험스러운 기구이다. 나는 결과를 다음과 같이 분류해보고 싶다.

기하학의 정신은 건축의 실재 표현인 손으로 만질 수 있는 형태, 즉 세워진 벽들, 네 벽 사이의 표면들, 균형과 안정의 표시인 직각에 이르게 한다. 나는 그것을 사각형이라는 기호에 지배받는 영혼이라고 부르는데, 나의 묘사는 지중해 건축 예술에 수여된 '알랑티카allantica'라는 전통적인 이름에 따라 한정되어 있는데, 그것은 알랑티카가 사각형에 기초를 둔 골동품이라는 뜻이기 때문이다.

또한 기하학의 정신은 모든 방향으로 뻗어 나가고 주관적이고 추상적인 상징으로서 공간적 넓이의 근원이 되는 삼각형이나 다각형으로 겹쳐 있는 도형을 만들어낸다. 나는 삼각형과 볼록형이거나 별모양의 오각형으로 체적을 측정할 수 있는 이십면체와 십이면체의 기호에 지배받는 영혼이라 부르고자 한다. 삼각형이란 기호에 지배받는 건축은 르네상스 시대에는 '알라제르마니카allagermanica'라고 불렸다.

한편으로 지중해 태양의 강한 빛과 같은 형태의 강한 객관성, 즉 남성 건축이다.

다른 한편으로 구름낀 하늘에 저항하면서 떠오르는 끊임없는 주관성, 즉 여성 건축이다.

사각형은 컴퍼스를 사용하지 않는다. 왜냐하면 그들은 표면이나 간단한 프리즘만을 다루기 때문이다. 이것들을 정사각형이나 직사각형으로 배치하면 그것들에서 강렬한 객관성과 감상할 수 있는 모든 능력이 드러나게 된다.

삼각형은 손가락 사이에 컴퍼스를 가지고 있다. 우주지리학, 별 등, …… 주관적인 몸짓들 ……. 자rule의 거장 메시르 로와Messire Loys가 남아 있다.

나는 내적인 법칙이 사랑에 의해 만들어진 작품에 생기를 불어넣어야만 한다고 믿는다. 사전을 참고해보자. 규칙은 인도하다, 원리, 법칙, 훈련, 질서 ……(라루스Larousse)

나는 다음과 같은 단순한 추론으로 되돌아온 느낌이다. 한편으로 사람들이 보고 측정할 수 있는 것들이 건축이며, 다른 한편으로 당신에게는 멀리 있고, 무한정이며 잡을 수 없는 세계를 투사하는 것들이 내가 생각하기에는 형이상학이다. 이 두 현상은 연속적이며, 하나는 다른 하나를 추월할 수 있지만, 그것을 추월하는 것은 아마 위험 없이 되지 않을 것이다.

나는 건축가, 조형 예술가, 건설자이다. 건설에 관여하는 사람들이 사용하는 기구를 발명할 수 있는 그 주위 환경을 설명하려고 나는 건축가의 입장에서 생각하고 기술했다. 이 기구는 건축적 성과의 구조를 통일시킬 수 있다. 그 구조의 건강 그 자체라 할 수 있는 내적인 견고함을 제공하면서 예술의 모든 형태를 근본적으로 다시 평가하는 것은 나의 세대에서 많은 사람들이 열정적으로 추구한 것이었다. 이에 대해 칸웨일러Kahnweiler는 입체파의 혁명에 대한 결론에서 다음과 같이 말하고 있다.

"1800년[32]을 전후하여 태어난 세대에 속하는 화가, 건축가, 음악가들은 모두 예술의 본체에 입각한 단단한 토대 위에서 건물과 예술의 진정한 성질을 새롭게 하는 데 강렬한 관심을 갖고 있었다. 이러한 예술가들은 모두 가능한 한 강하고 스스로 존립할 수 있는 예술 작품을 창조하고, 작품의 통일성이 그들이 갖고 있는 리듬의 힘에 따라 보장되며 부분이 전체에 종속되는 그런 작품을 만들어내려고 기도하였다. 그들 감정의 결실인 이러한 작품은 단일성 내에 존재하는 완전한 자립을 인정하려 했다. 그들은 자신들의 작품을 만들어내는 데 모두 한 마음을 갖고 있었던 것이다."

컴퍼스를 쓰는 사람과 자를 쓰는 사람에 대해 정확한 지식이 없었던 나는 얼마 전에 둘 중에 누가 더 위대한가를 물어 이러한 대답을 들었다. "더 위대한 것은 컴퍼스를 쓰는 사람이라는 것을 잘 아실 텐데요!"

글쎄 나는 이런 것에 대해서는 아무것도 모른다. 나는 오늘날(죽어가는 운명의 유해를 떠난 새로운 건물의 시대인 오늘날) 자는 필수 불가결하지만 컴퍼스는 위험하다는 느낌을 가지고 있다. 컴퍼스(오십 프랑짜리 지폐에 그려져 있는 컴퍼스가 아니라)는 무한하고 심원하고 피타고라스학파 등의 모든 것을 설명한다. 건설자이긴 하지만 예술대가(전문가)가 아닌 나는 오늘날 반복하는 데 도피를 제공하는 모든 문은 위험하다고 생각한다. 그렇게 말하고 그렇게 행동함으로써 나는 열등한 지위에 있는 노동자의 위치로 나를 떨어뜨리는 것이다. 오히려 잘됐다! 감사할 뿐이다.

1948년 11월 25일. 파리

르 코르뷔지에

---

[32] 이런 말 뒤에는 다음과 같은 예술가, 즉 그리스, 피카소, 브라크, 레저, 쇤베르크, 사티 등의 작품과 막스 자콥, 레베르티 등의 시인의 작품과 네 자신의 작품에 대해 검토가 뒤따라야 한다. : '르 코르뷔지에는 그의 건축에서 특이한 비례에 기호를 둔 새로운 것을 창조하고 있다. 그리고 그리스처럼 그는 작품의 객관적인 존재 그 자체의 근원이기도 한 창조적 행위의 시초에서 만들어졌던 리듬의 법칙을 존중한다. …… 그러나 르 코르뷔지에는 여기에서 보이는 것처럼 공간 속에 있는 모든 형태의 단순한 발명자 이상에 속한다. 다시 말하면 그는 공간의 창조자이다. 건물의 예술이 그의 손에서 진정한 의미를 갖게 되듯이 그는 바로크 시대의 위대한 건축가에 비교될 수 있을 것이다. ……'

8장 • 풍부한 기록과 정보 :
그 다음은 이용자가 말하게 하자

분위기는 불편하지만 '어떻게'와 '왜'라는 질문들로 가득차 있었다. 1948년 10월 25일 나는 메야아르Maillard 양이 소르본느 대학에 있는 그녀의 동료들에게 답을 들어볼 수 있는 질문지를 만들었다.

첫 번째 다이어그램에서 g를 얻는다.

직각의 위치 : 이 다이어그램에서 i와 m, n을 얻는다.

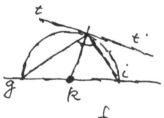

원안에 그려진 직각은 사선의 탄젠트 t–t' 를 생기게 한다.
k는 g와 i의 중점에 있다.

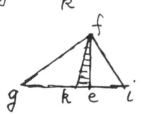

삼각형 kfe는
ef =첫 번째 정사각형의 가운데 축
kf =원의 반지름
에 나타난다.

《 그림 96 》

227

질문 1: kf 와 ef 사이의 관계는 무엇인가?

　　　　kf 와 eg 와 ei 사이의 관계는?

질문 2: f 에서 탄젠트와 사선 mn 사이의 관계는 무엇인가?

　　　　그것들은 어디에 이르는가?

　　　　그것들은 어느 점에서 만나게 되는가?

수학자인 타통 씨의 답변

1948년 11월 5일, 파리

선생님,

　질문에 대답하겠습니다. 결론은 입력한 별지에 또한 계산도 별지로 동봉합니다. 이 해답이 도움이 되면 다행입니다. 어쨌든 해명을 필요로 하시거나, 새로운 질문이 있으시면, 언제라도 기쁘게 나는 대답하겠습니다.

　이 기회에 알게 된 것은 나의 영광입니다.

R. Taton

　결론은 이러했다. 《그림 97》과 《그림 98》

1. 처음의 정사각형의 한 변을 단위로 하면 $gk=ki=1.006$ (여기에 k는 gi의 중심: 점 g, i 및 f를 대로 외접 하는 엔의 중심이며, 따라서 gfi는 직각이다.)

　그러므로 gk와 ki 위에 만들어진 「정사각형」은 눈으로 볼 때 정사각형으로 보여도, 수학적으로는 정사각형에 가까운 직사각형이다.

2. kf 및 ef와의 관계는 1.006이다. (왜냐하면 kf=원의 반지름이기 때문)

kf와 ei와의 관계는 1.006/0.8944=1.1125다.

f에서 탄젠트와 사선 mn은 평행이다. : 그것들은 수평선과는 6도 19분의 각도를 유지하며 반지름 kf와는 직각을 이룬다.

탄젠트는 점 e의 오른쪽 4.44되는 곳에서 수평선을 자른다.

3. 그림이 진행되면서 생긴 계속적으로 축소되는 삼각형을 보면 점 p'는 f에서 탄젠트에게도 평행이다. 첫 번째 직선은 ep=4.44이듯이 수평선을 점 p'에서 나눈다.

비교 : 계속되는 삼각형은 점 p'에 가까이 가기는 하지만, 절대로 거기에 도달하지는 못할 것이다. 왜냐하면 각 삼각형마다 같은 경우가 첫 번째 삼각형과는 다른 크기이지만 계속해서 일어나기 때문이다.

각 삼각형의 크기는 앞에 있는 것의 4/5가 된다.

R. TATON.

그리고 여기에 계산한 두 장의 종이가 있다.(그림 97)과 (그림 98)

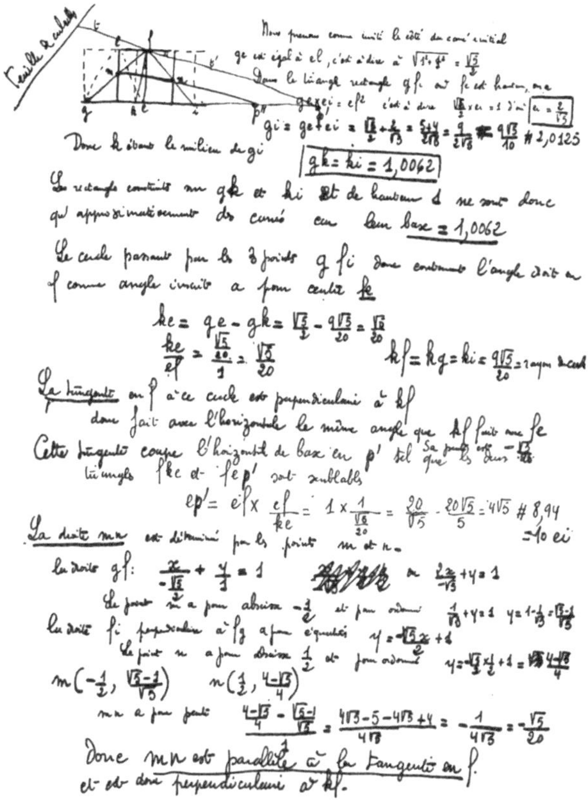

(그림 97)

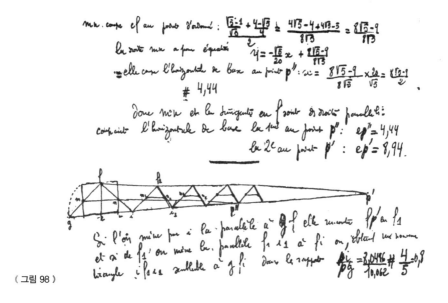

《그림 98》

수학자가 했던 이러한 답은 다음과 같이 해석될 수 있을 것이다.

원래의 가정(1942)이 옳았다는 것이 증명됐다. 같은 크기이면서 서로 인접하는 2개의 정사각형에 그것과 똑같은 3번째 정사각형을 '직각의 위치'에 놓는다.

그러나 ……

그러나 수학자는 이렇게 덧붙이고 있다. 당신의 첫 번째 두 개의 정사각형은 실은 정사각형은 아니다. 한편의 옆이 다른 옆보다 6,000분의 1 정도 더 길다.

일상의 조작에서는 6,000분의 1 이라고 하는 값은 잘라 버려도 잘 계산에 들어오지 않는다. 눈에는 안 보인다.

231

그러나 이학에서는(나는 이 엄격한 과학에 대한 열쇠가 없지만) 무엇인가 6,000분의 1이라고 하는 값은 매우 귀중한 의미가 있다고 느껴진다. 사물은 열려 있지도 닫혀 있지도 않다. 사물은 밀폐되어 있지 않다. 하늘에도 틈새가 있다. 삶은 정확하게 또 엄밀하게 동일한 것으로 운명적인 동등함이 재현됨으로써 깨어나는 것이다. ……

그리고 그것이 운동을 창조해내는 것이다.

* * * * *

1948년 12월 4일, 엘리자 메야아르_{Elisa Maillard} 양은 나에게 연필로 쓴 글이 있는 노트와 함께 컴퍼스의 해답을 가져왔다.

> 3개의 정사각형,
> 4개의 원,
> …… 정사각형 몇 개와 황금율의 직사각형을 구획하는 대각선들,
> 원의 바깥에 있는 2개의 작은 원의 대각선들

1948년 12월 12일, 나는 메야아르 양이 그린 누워 있는 사각형을 세워서 색을 칠했다. 그 사이에 나는 손을 든 인간을 끼워 넣었다. 그리고 원으로 볼 수 있는 것을 직사각형과 정사각형을 통해 볼 수 있도록 바꿨다.

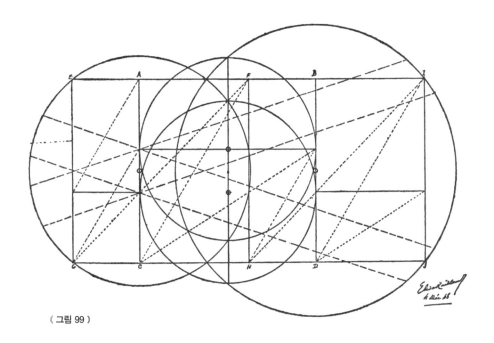

(그림 99)

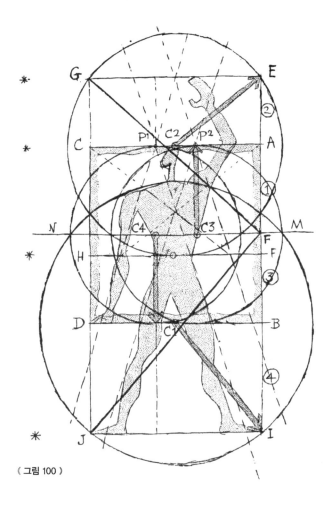

〈 그림 100 〉

그리고 나는 기록했다.

이 스케치는 '모듈러 연구의 첫 번째 가정이 옳음을 확인하면서 끝을 낸다.
그리고
여기에 신이 논다면!
나는 이 즐거운 정원 밖에 머물면서 바라볼 뿐이다.

The End

1948년 말부터 이 책이 출판되어 나오려는 시점인 현재 1949년 9월 23일까지 '모듈러'를 둘러싸고 많은 논란이 계속됐다. 그러나 피부의 구멍을 통해 스며드는 것 같은 생각은 유럽이나 미국 사람들의 호기심, 불안, 질문, 연설 등을 불러일으키면서 사람들의 주목을 받아왔다. 이 일 년 동안에, 내 '모듈러'의 서류에 여러 가지 자료가 더해졌다. 이 책은 모든 의문들에 대한 답에 도움이 될 것이다.

그 뒤에 보게 될 것이다! 이 조율된 기구에 의해 감명을 받은 사람은 누구도 이 기구를 다시는 떠날 수 없다는 것을 나는 안다. 그들로 하여금 시도하고 신뢰하고 토론하고 시정하고 제안하는 누구에게나 말하게 하자.

1946년 나는 존 데일 씨에게 이렇게 말해왔다. "나는 특허권을 버렸습니다. 나는 미국에서 제조한 기구, 즉 '모듈러'의 띠를 간직하고 있을 것이오. 그리고 제도대 위에 컴퍼스와 함께 있을 것이요." 우리가 정말로 해야 하는 것은 '모듈러'를 갖고 그 언어로 사용자나 제작자가 크고 작은 개선을 하기 위해 서로 아이디어를 교환하게 될, 인공적 언어[33]를 포함하여 많은 언어들로 편집될, 세계적으로 명성 있는 정기간행물로 생기를 불어넣게 될, 그런 사람들로 구성된 세계적인 모임, 즉 '모듈러'를 사용하는 친구들의 협회를 만드는 일이다. 세계적 출판물을 만드는 일과 내용은 어떻게 할까?

높은 수학으로부터 일상생활까지, 또 쓸모 있는 물건과 일상용품의 아주 하찮은 데까지, 또 주방기구로부터 세계의 미래형 성당까지 모두가 그 통일성을 알아 '모듈러'가 사용될 것이다.

그 다음은 사용자가 말하게 하자!

---

[33] 내가 확신하건데 (이런 인공적 언어가) 머지않아 나올 것이다.

역자 소개

손세욱   1987년부터 대전대학교 건축학과 교수로 재직중이며, 미국 미시간대학에서 건축학 석사, 서울시립대 건축공학 박사 학위를 취득했다. 영국 옥스퍼드 브룩스대학에서 객원연구원으로, 서울시 도시계획상임기획단 책임연구원 으로, 희림종합설계사무소 등에서 일했다.

『라스무쎈의 도시와 건축이야기』, 『르 코르뷔지에의 인간의 집』, 『까밀로 지테의 도시건축미학』, 『단지계획의 이 해』, 『건축산책』 등의 역서와 저서가 있으며, 50여 편 이상의 논문 연구보고서가 있다.

김경완   현재 오씨에스도시건축사무소 연구실장과 대전대학교 건축학과 겸임교수로 재직하고 있다.

일본 큐슈공업대학교 대학원 사회건설학과, 공학박사 취득 후 김해시청 전문공무원으로 3여 년간 근무했다.

부산대학교, 창원대학교 건축학과에서 강의하였고, 여러 논문과 연구보고서가 있다.

모듈러MODULOR 1

초판인쇄	2016년 3월 7일
초판발행	2016년 3월 15일
저자	Le Corbusier
역자	손세욱, 김경완
펴낸이	김성배
펴낸곳	도서출판 씨아이알
책임편집	정은희
디자인	김나리, 정은희
제작책임	이헌상
등록번호	제 2-3285호
등록일	2001년 3월 19일
주소	(04626) 서울특별시 중구 필동로 8길 43 (예장동 1-151)
전화	02-2275-8603(대표) 팩스번호 02-2265-9394
홈페이지	www.circom.co.kr

ISBN 979-11-5610-204-5 (94540)

979-11-5610-203-8 (세트)

여러분의 원고를 기다립니다.

도서출판 씨아이알은 좋은 책을 만들기 위해 언제나 최선을 다하고 있습니다. 토목·해양·환경·건축·전기·전자·기계·불교·철학 분야의 좋은 원고를 집필하고 계시거나 기획하고 계신 분들, 그리고 소중한 외서를 소개해주고 싶으신 분들은 언제든 도서출판 씨아이알로 연락 주시기 바랍니다. 도서출판 씨아이알의 문은 날마다 활짝 열려 있습니다.

출판문의처 : cool3011@circom.co.kr 02)2275-8603(내선 605)

≪ 도서출판 씨아이알의 도서소개 ≫

※ 한국출판문화산업진흥원의 세종도서로 선정된 도서입니다.
† 대한민국학술원의 우수학술도서로 선정된 도서입니다.
§ 한국과학창의재단의 우수과학도서로 선정된 도서입니다.

건축공학

한국건축의 흐름
정영철 저 / 2016년 3월 / 584쪽(188*257) / 28,000원

수변공간계획
이한석, 강영훈, 김나영 저 / 2016년 2월 / 324쪽(188*257) / 20,000원

건축설비기사 · 산업기사 합격 바이블(실기편)
서진우 저 / 2016년 1월 / 576쪽(188*257) / 28,000원

초고층 빌딩 설계 가이드
이소은, 김형우 저 / 2015년 8월 / 168쪽(216*302) / 23,000원

다원적 전시커뮤니케이션
이란표 저 / 2015년 4월 / 236쪽(188*257) / 20,000원

현대건축_흐름과 맥락
Jürgen Tietz 저 / 고성룡 역 / 2015년 4월 / 128쪽(210*295) / 15,000원

구조물기초설계기준 해설

(사) 한국지반공학회 저 / 2015년 3월 / 904쪽(188*257) /
39,000원

건축의 모습

비톨드 리브친스키 저 / 류재호, 김민정 역 / 2015년 2월 /
144쪽(148*210) / 12,000원

아두이노 기반 스마트 홈 오토메이션

Marco Schwartz 저 / 강태욱, 임지순 역 / 2015년 2월 /
244쪽(150*205) / 18,000원

인간중심의 도시환경디자인※

나카노 츠네아키 저 / 곽동화, 이정미 역 / 2014년 12월 /
396쪽(188*237) / 26,000원

(건축가, 건축주, 시공사를 위한) 스마트 빌딩 시스템

James Sinopoli 저 / 강태욱, 현소영 역 / 2014년 12월 /
344쪽(155*234) / 24,000원

한국 유교건축에 담긴 풍수 이야기※

박정해 저 / 2014년 12월 / 388쪽(188*257) / 30,000원

빛과 열의 건축환경학

슈쿠야 마사노리(宿谷 昌則) 저 / 송두삼, 황태연 역 / 2014
년 11월 / 440쪽(155*234) / 30,000원

오토캠핑으로 떠난 독일성곽순례

이상화, 이건하 저 / 2014년 10월 / 268쪽(152*224) /
18,000원

BIM으로 구조디자인 하기

이주나, 김우진 저 / 2014년 8월 / 240쪽(210*297) /
24,000원

현대 건축가 111인

Kester Rattenbury, Rob Bevan, Kieran Long 저 / 이준석
역 / 2014년 8월 / 240쪽(195*215) / 24,000원

예술을 위한 빛

Christopher Cuttle 저 / 김동진 역 / 2014년 7월 / 280쪽
(188*245) / 26,000원

흙집 제대로 짓기

황혜주 외 저 / 2014년 7월 / 200쪽(188*245) / 20,000원

콘크리트와 문화※

아드리안 포오티(ADRIAN FORTY) 저 / 박홍용 역 /
2014년 6월 / 372쪽(188*257) / 26,000원

BIM 기반 시설물 유지관리

IFMA, IFMA Foundation 저 / Paul Teicholz editor / 강
태욱, 심창수, 박진아 역 / 2014년 5월 / 428쪽(155*234) /
25,000원

집 그리고 삶

최재석 저 / 2014년 3월 / 172쪽(148*210) / 15,000원

Civil BIM with Autodesk Civil 3D

강태욱, 채재현, 박상민 저 / 2013년 11월 / 340쪽(155*234) /
24,000원

건물개보수 디자인 가이드북
피터 슈베르(Peter Schwehr), 로버트 피셔(Roberat Fischer),
손쟈 가이어(Sonja Geier)

현대건축감상
김영은, 이건하 저 / 2013년 9월 / 304쪽(188*257) /
26,000원

내진설계를 위한 근사해석법
ADRIAN S. SCARLAT 저 / 이진호 역 / 2013년 8월 /
356쪽(155*234) / 24,000원

건축설계의 아디이어와 힌트 470
매주 주택을 만드는 모임 저 / 고성룡 역 / 2013년 7월 /
184쪽(152*224) / 18,000원

세계에 널리 알려진 상업센터의 풍수디자인
이브린 립(Evelyn Lip) 저 / 한종구 역 / 2013년 6월 / 160
쪽(185*215) / 22,000원

BIM 상호운용성과 플랫폼
강태욱, 유기찬, 최현상, 홍창희 저 / 2013년 1월 / 320쪽
(188*257) / 25,000원

건축환경론
노정선, 함정도 저 / 2012년 6월 / 336쪽(188*257) /
22,000원

디자인 도면
Francis D.K. Ching, Steven P. Juroszek 저 / 이준석 역 /
2012년 3월 / 416쪽(210*297) / 28,000원

흙건축※
황혜주 저 / 2008년 3월 / 256쪽(188*257) / 23,000원

토목공학

수리학 및 실험(제2판)
이종석 저 / 2016년 3월 / 528쪽(188*257) / 28,000원

콘크리트구조설계_한계상태설계법
박홍용 저 / 2016년 2월 / 772쪽(188*257) / 38,000원

펄프 · 종이 수처리 기술
조준형 저 / 2016년 2월 / 328쪽(188*257) / 18,000원

측량 및 지형공간정보공학
유 연 저 / 2016년 2월 / 420쪽(188*257) / 43,000원

건설계측 응용실무
우종태, 이래철 저 / 2016년2월 / 332쪽(188*257) / 18,000원

땅밑에서는 대체 무슨 일이? 싱크홀의 정체
조성하 저 / 2015년 12월 / 220쪽(152*224) / 16,000원

토질 및 기초기술사 합격 바이블_2권
류재구 저 / 2015년 11월 / 948쪽(188*257) / 50,000원

토질 및 기초기술사 합격 바이블_1권
류재구 저 / 2015년 11월 / 920쪽(188*257) / 50,000원